LOS EMPEÑOS
DE UNA CASA

Obras de Sor Juana Inés de la Cruz en esta editorial:

- *Los empeños de una casa*
- *Respuesta a Sor Filotea de la Cruz*
- *El divino Narciso*
- *Poesía amorosa*
- *Sonetos y endechas*

FONTAMARA
COLECCIÓN

SOR JUANA INÉS DE LA CRUZ

LOS EMPEÑOS DE UNA CASA

DISTRIBUCIONES
FONTAMARA

Primera edición: 1988, Distribuciones Fontamara, S.A.
Segunda edición: 1991
Tercera edición: 1992
Cuarta edición: 1993
Quinta edición: 1994
Sexta edición: 1995
Séptima edición: 1995
Octava edición: 1997
Novena edición: 1999

ISBN   968-476-067-1

© **Distribuciones Fontamara, S. A.**
  Av. Hidalgo No. 47-b, Colonia del Carmen
  Deleg. Coyoacán, 04100, México, D. F.
  Tels. 659•7117 y 659•7978 Fax 658•4282

Impreso y hecho en México
Printed and made in Mexico

Sor Juana Inés de la Cruz y su teatro

De entre la vasta producción literaria de Sor Juana destacan sus piezas dramáticas que son, en su mayoría, loas. Escribió tres autos sacramentales y dos comedias.

Las loas son composiciones en elogio de un santo o algún héroe. Se ejecutaron mediante la introducción de personajes alegóricos. Estas representaciones se redujeron a un puro diálogo y la trama o complicación es la reyerta entre dos interlocutores, que un tercero viene a dirimir.

De su sencillez asienta el erudito escritor Francisco Pimentel: "recuerda las églogas de Juan de la Encina y otros ensayos dramáticos, por el estilo con que comenzó el teatro español".[1]

Los autos sacramentales llevan por título *El Cetro de José El Mártir del Sacramento San Hermenegildo* y *El Divino Narciso*. Las comedias son: *Amor es más laberinto* y *Los Empeños de una Casa*. El argumento de la primera es la fábula de Ariadna y Teseo, según la cual, el segundo fue arrojado al laberinto de Creta por el rey Minos, padre de Ariadna, quien, enamorada perdidamente de Teseo, le saca del laberinto y huye con él.[2]

La comedia tiene por objeto ridiculizar un vicio o defecto. En la sociedad novohispana en que Sor Juana Inés de la Cruz vivió, las contradicciones económicas y políticas de la sociedad clasista produjeron los personajes más disímbolos y una corte llena de lujo y boato. La ilustre poetisa se desenvolvió entre la maledicencia, los celos y la envidia. El aplauso le saludó, pero también lo hicieron las críticas más acerbas. Especialmente las de los altos prelados de la Iglesia,

---

[1] Pimentel Francisco, *Biografía y crítica de los principales escritores mexicanos*, México, Imprenta de La Constitución Social, 1868, p. 50.

[2] Pimentel Francisco. *Op. Cit., p. 63.*

quienes no consintieron que una monja fuese de espíritu e imaginación superiores.

Al final de su existencia Sor Juana perdió los libros e instrumentos científicos y musicales que había reunido con enorme sacrificio. Fue así como, en palabras de Octavio Paz: "Las trampas de la fe le envolvieron en su celda y sus celadas."

Los Empeños de una Casa.

Esta comedia fue llevada a escena en 1683, durante un festejo que Sor Juana ofreció a la virreina Maria Luisa Gonzaga, esposa del virrey Tomás Antonio de la Cerda. La representación, se ejecutó con mucha pompa en palacio y en ella se intercalan dos sainetes. La pieza consta de tres jornadas y se completa con una loa que le precede; termina con un sarao llamado de cuatro naciones.

La heroína de esta obra es doña Leonor Carreto, quien fue esposa de otro virrey: don Antonio Sebastián de Toledo, Marqués de Mancera.

Leonor es coqueta hermosa, joven, discreta y culta como Sor Juana, y en ella la poetisa se autorretrata:

"Decirte que nací hermosa
presumo que es excusado,
pues lo atestiguan tus ojos
y lo prueban mis trabajos."

Otro ejemplo:

"Inclíneme a los estudios
desde mis primeros años
con tan ardientes desvelos,
con tan ansiosos cuidados,
que reduje a breve tiempo
fatigas de mucho espacio."[3]
. . . .

[3] De la Cruz, Sor Juana, *Los Empeños de una Casa*, México, UNAM, 1940. (Biblioteca del Estudiante Universitario, número 14, p. XXV.

La autora narra en esta comedia sus experiencias como dama de la Corte. En ella evoca los bailes y saraos que le fueron familiares.

Los virreyes Marqueses de Mancera eran muy afectos a la vida frívola, cuya corte fue brillante. La bella y joven Juana Inés sin duda no fue ajena a los galanteos cortesanos y acaso tampoco a alguna lid amorosa de esas en las que no hay vencedores ni vencidos. Todavía no le ligaban los votos monásticos y su gusto por el mundo y el trato social de la Corte estimuló su coquetería y su narcicismo. De lo mundano y de su trato con la Corte dice Octavio Paz:

"Durante todo el tiempo en que fue dama de la virreina, Juana Inés participó en esos ritos mundanos; antes de convertirlos en conceptos de sus poemas, fueron experiencias vividas por ella. Aquí conviene deshacer otro de los errores en que han incurrido muchos de sus biógrafos: su calidad de dama de la virreina no podía ofrecerle una posibilidad de matrimonio. Los Mata la colocaron en el palacio virreinal ya sea porque querían descargarse de la responsabilidad que significaba tenerla en casa o para que Juana Inés se puliese en la corte: en ningún caso para que se casase. El matrimonio estaba excluido porque los galanes casi siempre eran casados. Además y sobre todo: los casamientos se arreglaban entre las cabezas de las familias y el eje de las negociaciones era algo que no tenía Juana Inés: una dote.

"La posición de Juana Inés en la corte debe haber sido brillante. La posición, no la situación. La primera se debe a los méritos propios: belleza, discreción, elegancia; la segunda pertenece a las jerarquías sociales: nombre, rango, fortuna. La primera es pasajera; la segunda se inscribe en el orden inmutable de la sociedad cortesana. Juana Inés se movía con ligereza en los torbellinos palaciegos y pronto se convirtió en uno de sus centros. Esta preeminencia no sólo se debió a sus cualidades sino, me aventuro a decirlo, a uno de los rasgos menos simpáticos de su carácter: su gusto por las zalamerías y su afición a nada discretas adulaciones de los poderosos. Esta desdichada inclinación es, por lo demás, una nueva prueba de su narcisismo y de su coquetería; asimismo, de su inseguridad psíquica. A su vez, esa inseguridad hundía sus raíces en sus circunstancias sociales: la irregulidad de su nacimiento, la falta de recursos y, sobre todo y más decisivamente, la ausencia de familia. Si es verdad que la adulación florece en las sociedades jerárquicas, también lo es que los aduladores se reclutan entre aquellos que no tienen un lugar fijo en la sociedad.

Sus artes diplomáticas, su belleza, su vivacidad y su natural risueño no explican enteramente el secreto de su popularidad. La inteligencia y el saber fueron las llaves que le abrieron las puertas de la sociedad virreinal."[4]

Su entrada al convento. En la *Respuesta a Sor Filotea* Sor Juana confiesa que "Entreme religiosa porque aunque conocía que tenía el estado cosas (de las accesorias hablo, no de las formales), muchas repugnantes a mi genio, con todo, para la total negación que tenía al matrimonio, era lo menos desproporcionado y lo más decente que podía elegir en materia de la seguridad que deseaba de mi salvación."

Para el mundo la poetisa se llamó Juana de Asbaje y Ramírez de Santillana, y nació el 12 de noviembre de 1648, en la alquería de San Miguel Nepantla, al pie de los grandes volcanes que dominan el valle de México.

La jerónima compuso hermosos villancicos y asombró a sus contemporáneos con el cúmulo de sus conocimientos. Este saber fue para ella escudo de celos e intrigas en su contra.

Dentro del convento Sor Juana fue contadora. Tal vez para consumir el tiempo alejada de su fuerte inclinación a las ciencias, y no le fue ajeno el arte culinario, ya que destacó en la confección de sabrosos dulces que enviaba a sus protectores, los marqueses de La Laguna. Hasta ellos llegaban acompañados de un soneto dulce y sabroso como "sabroso fue su entender en este arte hecho poesía."[5]

Sor Juana Inés de la Cruz murió el 17 de abril de 1695, sin más libro en su poder que un pobre misal. Estaba próxima a cumplir los 47 años de edad y después de hacer confesión general, siente el dolor de sus pecados. Una pesada losa cae sobre su espíritu, firma su confesión con su propia sangre: Yo, Sor Juan Inés de la Cruz, la peor."[6]

Napoleón Rodríguez
Nuevo Residencial Vallejo
Delegación Gustavo A. Madero, D.F.
Primavera de 1988.

[4] Paz, Octavio, *Sor Juana Inés de la Cruz o las trampas de la fe*, Madrid, España, Seix Barral, 1982 (Biblioteca Breve), pp. 138-139.

[5] Rodríguez Barba, Fabiola. "La Cocina de Sor Juana", *Novedades Mi Periodiquito*, México, 6 de diciembre de 1981, p. 12.

[6] López Portillo, Margarita. *Estampas de Juana Inés de la Cruz*, México. Ediciones Bruguera, 1979, p. 186.

LOS EMPEÑOS DE UNA CASA

*to sing th[e]
praises of*

LOA QUE PRECEDIÓ A LA COMEDIA
QUE SE SIGUE

INTERLOCUTORES

LA DICHA	**LA DILIGENCIA**	**EL ACASO**
LA FORTUNA	**EL MÉRITO**	**MÚSICA**

ESCENA I

MÚSICA

Para celebrar cuál es
de las dichas la mayor,
a la ingeniosa palestra
convoca a todos mi voz.
¡Venid al pregón;
atención, silencio, atención, atención!
Siendo el asunto, a quién puede
atribuírse mejor,
si al gusto de la Fineza,
o del Mérito al sudor,
¡venid todos, venid, venid al pregón
de la más ingeniosa, lucida cuestión!
¡Atención, silencio, atención, atención!

ESCENA II

(Salen el MÉRITO *y la* DILIGENCIA, *por un lado; y por otro, la* FORTUNA *y el* ACASO.)

MÉRITO

Yo vengo al pregón; mas juzgo
que es superflua la cuestión.

FORTUNA

Yo, que tanta razón llevo,
a vencer, no a lidiar voy.

ACASO

Yo no vengo a disputar
lo que puedo darme yo.

MÚSICA

¡Venid todos, venid, venid al pregón
de las más ingeniosa, lucida cuestión!
¡Atención, silencio, atención, atención

MÉRITO

Sonoro acento que llamas,
pause tu canora voz.
Pues si el asunto es, cual sea
de las dichas la mayor,
y a quién debe atribuíse
después su consecución
punto que determinado
por la natural razón
está ya, y aun sentenciado
(como se debe) a favor
del Mérito, ¿para qué
es ponerlo en opinión?

DILIGENCIA

Bien has dicho. Y pues lo eres
tú, y yo parte tuya soy,
que la Diligencia siempre
al Mérito acompañó:
pues aunque Mérito seas,
si no te acompaño yo,
llegas hasta merecer,
pero hasta conseguir, no
(que Mérito a quien, de omiso,
la Diligencia faltó,
se queda con el afán,
y no alcanza el galardón);
pero supuesto que ahora
estamos los dos,
pues el Mérito eres tú
y la Diligencia yo,
no hay que temer competencias
de Fortuna.

FORTUNA

¿Cómo no,
pues vosotros estrechar
queréis mi jurisdicción;
mayormente cuando traigo
al Acaso en mi favor?

MÉRITO

¿Pues al Mérito hacer puede
la Fortuna, oposición?

FORTUNA

Sí; pues ¿cuándo la Fortuna
al Mérito no venció?

DILIGENCIA

Cuando al Mérito le asiste
la Diligencia.

ACASO

¡Qué error!
Pues a impedir un Acaso,
¿qué Diligencia bastó?

DILIGENCIA

Muchas veces hemos visto
que puede la prevención
quitar el daño al Acaso.

ACASO

Si se hace regulación,
las más veces llega cuando
ya el Acaso sucedió.

MÉRITO

Fortuna: llevar no puedo,
que quiera tu sinrazón
quitarme a mí de la Dicha
la corona y el blasón.

Ven acá. ¿Quién eres para
oponerte a mi valor,
más que una deidad mentida
que la indignación formó?
Pues cuando en mi tribunal
los privo de todo honor,
se van a ti los indignos
en grado de apelación.
¿Eres tú más que un tirano
tan bárbaramente atroz,
que castiga sin delito
y premia sin elección?
¿Eres tú más que un efugio
del interés y el favor,
y una razón que se da
por obrar la sinrazón?

¿No eres tú del desconcierto
un mal regido reloj,
que si quiere da las veinte
al tiempo de dar las dos?
¿No eres tú de tus alumnos
la más fatal destrucción,
pues al que ayer levantaste,
intentas derribar hoy?
¿Eres más. . .?

FORTUNA

    ¡Mérito, calla;
pues tu vana presunción,
en ser discurso se queda,
sin pasar a oposición!
¿De qué te sirve injuriarme,
si cuando está tu furor
envidiando mis venturas,
las estoy gozando yo?
Si sabes que, en cualquier premio
en que eres mi opositor,
te quedas tú con la queja
y yo con la posesión,
¿de qué sirve la porfía?
¿No te estuviera mejor
el rendirme vasallaje
que el tenerme emulación?
Discurre por los ejemplos
pasados. ¿Qué oposición
me has hecho, en que decir puedas
que has salido vencedor?
En la destrucción de Persia,
donde asistí, ¿qué importó
tener Darío el derecho,
si ayudé a Alejandro yo?
Y cuando quise después
desdeñar al Macedón,
¿le defendió de mis iras
el ser del Mundo Señor?

Cuando se exaltó en el trono
Tamorlán con mi favor,
¿no hice una cerviz real
grada del pie de un pastor?
Cuando quise hacer a César
en Farsalia vencedor,
¿de qué le sirvió a Pompeyo
el estudio y la razón?
Y el más hermoso pridigio,
la más cabal perfección
a que el Mérito no alcanza,
a un Acaso se rindió.
¿Quién le dio el hilo a Teseo?
¿Quién a Troya destruyó?
¿Quién dio las armas a Ulises,
aunque Ayax las mereció?
¿No soy de la paz y guerra
el árbitro superior,
pues de mi voluntad sola
pende su distribución?

DILIGENCIA

No os canséis en argüir;
pues la voz que nos llamó,
de oráculo servirá,
dando a nuestra confusión
luz.

ACASO

Sí, que no Acaso fue
el repetir el pregón:

MÚSICA

¡Atención, atención, silencio, atención!

ESCENA III

MÉRITO

Voz, que llamas importuna
a tantas, sin distinguir:
¿a quién se ha de atribuír
aquesta ventura?

MÚSICA

A una.

FORTUNA

¿De cuáles, si son opuestas?

MÚSICA

De éstas.

DILIGENCIA

¿Cuál? Pues hay en el Teatro.

MÚSICA

Cuatro.

ACASO

Sí; ¿mas a qué fin rebozas?

MÚSICA

Cosas.

FORTUNA

Aunque escuchamos medrosas,
hallo que van pronunciando
los ecos que va formando:

MÚSICA

A una de estas cuatro cosas.

MÉRITO

¿Mas quién tendrá sin desdicha...?

MÚSICA

La Dicha.

FORTUNA

Si miro que para quien...

MÚSICA

Es bien.

MÉRITO

¿A quién es bien que por suya...?

MÚSICA

Se atribuya.

DILIGENCIA

Pues de fuerza ha de ser tuya;
que juntando el dulce acento,
dice que al Merecimiento.

MÚSICA

La dicha es bien se atribuya.

ACASO

¿Se dará, sin embarazo...?

MÚSICA

Al Acaso.

ACASO

Y qué pondrá en consecuencia?

MÚSICA

Diligencia.

ACASO

Sí; mas ¿cuál es fundamento?

MÚSICA

Merecimiento. merit\worth

ACASO

Y lo logrará oportuna. . .

MÚSICA

Fortuna.

ACASO

Bien se ve que sólo es una,
pero da la preeminencia. . .

MÚSICA

Al Acaso, Diligencia,
Merecimiento y Fortuna.

MÉRITO

Atribuirlo a un tiempo a todas,
no es posible; pues confusas
sus cláusulas con las nuestras,
confunden lo que articulan.
Vamos juntando los ecos
que responden a cada una,
para formar un sentido
de tantas partes difusas.

FORTUNA

Bien has dicho, pues así
se penetrará su obscura
inteligencia.

ACASO

Con eso
podrá ser que se construya
su recóndito sentido.

DILIGENCIA

Pues digamos todas juntas
con la Música, ayudando
las cláusulas que pronuncia:

TODOS Y LA MÚSICA

A una de estas cuatro cosas
la Dicha es bien se atribuya:
al Acaso, Diligencia,
Merecimiento y Fortuna.

MÉRITO

Nada responde, supuesto
que ha respondido que a una
se le debe atribuír,
con que en pie deja la duda;
pues no determina cuál.

FORTUNA

Sin duda, que se reduzca
a los argumentos quiere.

ACASO

Sin duda, que se refunda
en el Acaso, es su intento.

DILIGENCIA

Sin duda, que se atribuya,
pretende a la Diligencia.

MÉRITO

¡Oh qué vanas conjeturas,
siendo el Mérito primero!

FORTUNA

Si no lo pruebas, se duda.

ESCENA IV

MÉRITO

Bien puede uno ser dichoso
sin tener Merecimiento;
pero este mismo contento
le sirve de afán penoso:
pues siempre está receloso
del defecto que padece,
y el gusto le desvanece,
sin alcanzarlo jamás.
Luego no es dichoso, más
de aquel que serlo merece.

MÚSICA

¡Que para ser del todo
feliz, no basta
el tener la ventura,
sino el gozarla!

FORTUNA

Tu razón no satisfaga:
pues antes, de ella se infiere
que la que el Mérito adquiere
no es ventura, sino paga;
y antes, el deleite estraga,

pues como ya se antevía,
no es novedad la alegría.
Luego, en sentir riguroso,
sólo se llama dichoso
el que no lo merecía.

MÚSICA

¡Que para ser del todo
grande una Dicha,
no ha de ser esperada
sino improvisa!

ACASO

Del Acaso, una sentencia
dice que se debe hacer
mucho caso, pues el sér
pende de la contingencia.
Y aun lo prueba la evidencia,
pues no se puede dar paso
sin que intervenga el Acaso;
y no hacer de él caso, fuera
grave error: pues en cualquiera
caso, hace el Acaso al caso.

MÚSICA

¡Porque, ordinariamente,
son las venturas
más hijas del Acaso
que de la industria!

DILIGENCIA

Este sentir se condena;
pues que es más ventura, es llano,
labrarla uno de su mano,
que esperarla de la ajena.
Pues no podrán darle pena
riesgos de la contingencia,
y aun en la común sentencia

se tiene por más segura;
pues dice que es la ventura
hija de la Diligencia

MÚSICA

¡Y así, el temor no tiene
de perder dichas,
el que, si se le pierden,
sabe adquirirlas!

MÉRITO

Aunque, a la primera vista,
cada uno (al parecer)
tiene razón, es engaño:
pues de la Dicha el laurel
sólo al Mérito le toca,
pues premio a su sudor es.

MÚSICA

¡No es!

MÉRITO

¡Sí es!

FORTUNA

No es, sino de la Fortuna,
cuya soberbia altivez,
es la máquina del Orbe
estrecha basa a sus pies.

MÚSICA

¡No es!

FORTUNA

¡Sí es!

DILIGENCIA

No es, sino condigno premio
de la Diligencia; pues
si allá se pide de gracia,
aquí como deuda es.

MÚSICA

¡No es!

DILIGENCIA

¡Sí es!

ACASO

No es tal; porque si el Acaso
su causa eficiente es,
claro está que será mía,
pues soy yo quien la engendre.

MÚSICA

¡No es!

ACASO

¡Sí es!

MÉRITO

Baste ya, que esta cuestión
se ha reducido a porfía;
y pues todo se vocea
y nada se determina,
mejor es mudar de intento.

FORTUNA

¿Cómo?

MÉRITO

Invocando a la Dicha;
que, pues la que hoy viene a casa
se tiene por más divina
que humana, como deidad
sabrá decir, de sí misma,
a cuál de nosotros cuatro
debe ser atribuída.

FORTUNA

Yo cederé mi derecho,
sólo con que ella lo diga.
Mas ¿cómo hemos de invocarla,
o adónde está?

DILIGENCIA

En las delicias
de los Elisios, adonde
sólo es segura la Dicha.
Mas ¿cómo hemos de invocarla?

ACASO

Mezclando, con la armonía
de los Coros, nuestras voces.

DILIGENCIA

Pues empezad sus festivas
invocaciones, mezclando
el respeto a la caricia.

ESCENA V

(Cantan y representan.)

MÉRITO

¡Oh Reina del Elisio coronada!

25

FORTUNA

¡Oh Emperatriz de todos adorada!

DILIGENCIA

¡Común anhelo de las intenciones!

ACASO

¡Causa final de todas las acciones!

MÉRITO

¡Riqueza, sin quien pobre es la riqueza!

FORTUNA

¡Belleza, sin quien fea es la belleza:

MÉRITO

sin quien Amor no logra sus dulzuras;

FORTUNA

sin quien Poder no logra sus alturas;

DILIGENCIA

sin quien el mayor bien en mal se vuelve;

ACASO

con quien el mal en bienes se resuelve!

MÉRITO

¡Tú, que donde tú asistes no hay desdicha!

FORTUNA

En fin ¡tú, Dicha!

ACASO

¡Dicha!

DILIGENCIA

¡Dicha!

MERITO

¡Dicha!

TODOS

¡Ven, ven a nuestras voces;
porque tú misma
sólo, descifrar puedes
de ti el enigma!

(Dentro, un clarín.)

MÚSICA

¡Albricias, albricias!

TODOS

¿De qué las pedís?

MÚSICA

De que ya benigna
a la invocación
se muestra la Dicha.
¡Albricias, albricias!

ESCENA VI

(Córrense dos cortinas, y aparece la DICHA, con corona y cetro.)

MÉRITO

¡Oh, qué divino semblante!

27

FORTUNA

¡Qué beldad tan peregrina!

DILIGENCIA

¡Qué gracia tan milagrosa!

ACASO

¿Pues cuándo no fue la Dicha
hermosa?

MÉRITO

Todas lo son;
mas ninguna hay que compita
con aquésta. Pero atiende
a ver lo que determina.

DICHA

Ya que, llamada, vengo
a informar de mí misma,
y a ser de vuestro pleito
el árbitro común que lo decida;

y pues es la cuestión,
a quién mejor, la Dicha,
por razones que alegan,
de los cuatro, ser debe atribuída:

el Mérito me alega
tenerme merecida,
como que equivalieran
a mi valor sagrado sus fatigas;

la Diligencia alega
que en buscarme me obliga,
como que humana huella
pudiera penetrar sagradas cimas;

la Fortuna, más ciega,
de serlo se acredita,
pues quiere en lo sagrado
tener jurisdicciones electivas;

y el Acaso, sin juicio
pretende, o con malicia,
el que la Providencia
por un acaso se gobierne y rija.

Y para responderos
con orden, es precisa
diligencia advertiros
que no soy yo de las vulgares dichas:

que ésas, la Diligencia
es bien que las consiga,
que el Mérito las gane,
que el Acaso o Fortuna las elijan;

mas yo mido, sagrada,
distancias tan altivas,
que a mi elevado solio
no llegan impresiones peregrinas.

Y ser yo de Fortuna
dádiva, es cosa indigna:
que de tan ciegas manos,
no son alhajas dádivas divinas.

Del Mérito, tampoco:
que sagradas caricias
pueden ser alcanzadas,
pero nunca ser pueden merecidas.

Pues soy (mas con razón
temo no ser creída,
que ventura tan grande,
aun la dudan los ojos que la miran)

la venida dichosa
de la Excelsa María
y del Invicto Cerda,
que eternos duren y dichosos vivan.

Ved si a Dicha tan grande
como gozáis, podría
Diligencia ni Acaso,
Mérito ni Fortuna, conseguirla.

Y así, pues pretendéis
a alguno atribuírla,
sólo atribuirse debe
tanta ventura a Su Grandeza misma.

y al José generoso
que, sucesión florida,
a multiplicar crece
los triunfos de su real progenie invicta.

Y pues ya conocéis
que, a tan sagrada Dicha,
ni volar la esperanza,
ni conocerla pudo la noticia,

al agradecimiento
los júbilos se sigan,
que si no es recompensa,
de gratitud al menos se acredita.

ESCENA VII

MÉRITO

Bien dice: celebremos
la gloriosa venida
de una dicha tan grande
que en tres se multiplica.

Y alegres digamos
a su hermosa vista:
¡Bien venida sea
tan sagrada Dicha,
que la Dicha siempre
es muy bien venida!

MÚSICA

¡Bien venida sea;
sea bien venida!

FORTUNA

Bien venida sea
la Excelsa María,
diosa de la Europa,
deidad de las Indias.

ACASO

Bien venido sea
el Cerda, que pisa
la cerviz ufana
de América altiva.

MÚSICA

¡Bien venida sea;
sea bien venida!

MÉRITO

Bien en José venga
la Belleza misma,
que ser más no puede
y a crecer aspira.

MÚSICA

¡Bien venida sea;
sea bien venida!

FORTUNA

Y a ese bello Anteros
un Cupido siga,
que sus glorias parta
sin disminuírlas,

DICHA

porque de una y otra
Casa esclarecida,
crezca a ser gloriosa,
generosa cifra.

FORTUNA

Fortuna a su arbitrio
esté tan rendida,
que pierda de ciega
la costumbre antigua.

MÚSICA

¡Bien venida sea;
sea bien venida!

MÉRITO

Mérito, pues es
tan de su Familia,
como nació en ella,
eterno le asista.

MÚSICA

¡Bien venida sea;
sea bien venida!

DILIGENCIA

Diligencia siempre
tan fina le asista,
que aumente renombres
de ser más activa.

MÚSICA

¡Bien venida sea;
sea bein venida!

ACASO

El Acaso, tanto
se esmere en servirla,
que haga del Acaso
venturas precisas.

MÚSICA

¡Bien venida sea;
sea bien venida!

FORTUNA

En sus bellas Damas,
cuya bizarría,
de Venus y Flora,
es hermosa envidia,

MÚSICA

¡bien venida sea;
sea bien venida!

MÉRITO

Y pues esta casa,
a quien iluminan
tres Soles con rayos,
un Alba con risa,

ACASO

no ha sabido cómo
festejar su Dicha
si no es con mostrarse
de ella agradecida,

DILIGENCIA

que a merced, que en todo
es tan excesiva
que aun de los deseos
pasa la medida,

FORTUNA

nunca hay recompensa,
y si alguna hay digna,
es sólo el afecto
que hay a recibirla:

MÉRITO

que al que las deidades
al honor destinan,
el Mérito dan
con las honras mismas;

ACASO

y porque el festejo
pare en alegría,
los Coros acordes
otra vez repitan:

MÚSICA

¡Bien venida sea
tan sagrada Dicha,
que la Dicha siempre
es muy bien venida!

DICHA

¡Y sea en su Casa,
porque eterna viva,
como la Nobleza,
vínculo la Dicha!

FORTUNA

Y porque a la causa es bien
que estemos agradecidas,
repetid conmigo todos:

TODOS

¡Que con bien Su Señoría
Ilustrísima haya entrado,
pues en su entrada festiva,
fue la dicha de su entrada
la entrade de nuestra Dicha!

MÚSICA

¡Fue la dicha de su entrada,
la entrada de nuestra Dicha!

LETRA QUE SE CANTÓ POR "DIVINA FENIX, PERMITE". . .

Divina Lysi: permite
a los respetos cobardes
que por indignos te pierden,
que por humildes te hallen.

No es ufano sacrificio
el que llega a tus altares;
que aun se halla indigno, el afecto,
de poder sacrificarse.

Ni agradarte solicita;
que no son las vanidades
tan soberbias, que presuman
que a ti puedan agradarte.

Sólo es una ofrenda humilde,
que entre tantos generales
tributos, a ser no aspira,
ni aun a ser parte integrante.

La pureza de tu altar
no es bien macular con sangre,
que es mejor que arda en las venas
que no que las aras manche.

Mentales víctimas son
las que ante tu trono yacen,
a quien hieren del deseo
segures inmateriales.

No temen tu ceño; porque
cuando llegues a indignarte,
¿qué más dicha, que lograr
el merecerte un desaire?

Seguro, en fin, de la pena,
obra el amor; porque sabe
que a quien pretende el castigo,
castigo es no castigarle.

LOS EMPEÑOS DE UNA CASA

Comedia Famosa

INTERLOCUTORES

DON CARLOS	DON RODRIGO	CELIA
DON JUAN	DOÑA LEONOR	HERNANDO
DON PEDRO	DOÑA ANA	CASTAÑO

DOS EMBOZADOS   DOS COROS DE MÚSICA

JORNADA PRIMERA

CUADRO PRIMERO

[*En casa de* DON PEDRO.]

ESCENA I

(Salen DOÑA ANA y CELIA.)

DOÑA ANA

Hasta que venga mi hermano,
Celia, le hemos de esperar.

CELIA

Pues eso será velar,
porque él juzga que es temprano

la una o las dos; y a mi ver,
aunque es grande ociosidad
viene a decir la verdad,
pues viene al amanecer.

Mas, ¿por qué ahora te dio
esa gana de esperar.
si te entras siempre a acostar
tú, y le espero sola yo?

DOÑA ANA

Has de saber, Celia mía,
que aquesta noche ha fiado
de mí todo su cuidado:
tanto de mi afecto fía.

Bien sabes tú que él salió
de Madrid dos años ha,
y a Toledo, donde está,
a una cobranza llegó,

pensando luego volver,
y así en Madrid me dejó,
donde estando sola yo,
pudiendo ser vista y ver,

me vio Don Juan y le vi,
y me solicitó amante,
a cuyo pecho constante
atenta correspondí;

cuando, o por no ser tan llano
como el pleito se juzgó,
o lo cierto, porque no
quería irse mi hermano

(porque vive aquí una dama
de perfecciones tan sumas
que dicen que faltan plumas
para alabarla a la Fama,

de la cual enamorado
aunque no correspondido,
por conseguirla perdido
en Toledo se ha quedado,

y porque yo no estuviese
sola en la Corte sin él,
o porque a su amor crüel
de algún alivio le fuese),

dispuso el que venga aquí
a vivir yo, que al instante
di cuenta a Don Juan, que amante
vino a Toledo tras mí:

fineza a que agradecida
toda el alma estar debiera,
si ya ¡ay de mí! no estuviera
del empeño arrepentida,

porque el amor que es villano
en el trato y la bajeza,
se ofende de la fineza.
Pero, volviendo a mi hermano,

sábete que él ha inquirido
con obstinada porfía
qué motivo haber podía
para no ser admitido;

y hallando que es otro amor,
aunque yo no sé de quién,
sintiendo más que el desdén
que otro gozase el favor

(que como este fiero engaño
es envidioso veneno,
se siente el provecho ajeno
mucho más que el propio daño);

sobornando (¡oh vil costumbre
que así la razón estraga,
que es tan ciego Amor, que paga
porque le den pesadumbre!)

una crïada que era
de quien ella se fïaba,
en el estado que estaba
su amor, con el fin que espera

y con lo demás que pasa,
supo de la infiel crïada,
que estaba determinada
a salirse de su casa

esta noche con su amante;
de que mi hermano furioso
como a quien está celoso
no hay peligro que le espante,

con unos hombres trató
que fingiéndose Justicia
(¡mira qué astuta malicia!)
prendan al que la robó,

y que al pasar por aquí
al galán y dama bella,
como en depósito, a ella
me la entregasen a mí,

y que luego al apartarse,
como que acaso ellos van
descuidados, al galán
den lugar para escaparse,

con lo cual claro se arguye
que él se valdrá de los pies
huyendo, pues piensa que es
la Justicia de quien huye;

y mi hermano, con la traza
que su amor ha discurrido,
sin riesgo habrá conseguido
traer su dama a su casa,

y en ella es bien fácil cosa
galantearla abrasado
sin que él parezca culpado
ni ella pueda estar quejosa,

porque si tanto despecho
ella llegase a entender,
visto es que ha de aborrecer
a quien tal daño le ha hecho.

Aquesto que te he contado,
Celia, tengo que esperar;
mira ¿cómo puedo entrar
a acostarme sin cuidado?

CELIA

Señora, nada me admira;
que en amor no es novedad
que se vista la verdad
del color de la mentira,

¿ni quién habrá que se espante
si lo que es, llega a entender,
temeridad de mujer
ni resolución de amante,

ni de traidoras crïadas,
que eso en todo el mundo pasa,
y quizá dentro de casa
hay algunas calderadas?

Sólo admirado me han,
por las acciones que has hecho,
los indicios que tu pecho
da de olvidar a Don Juan;

y no sé por qué el cuidado
das en trocar en olvido,
cuando mi causa has tenido
tú, ni Don Juan te la ha dado.

DOÑA ANA

Que él no me la da, es verdad;
que no la tengo, es mentira.

CELIA

¿De qué modo?

DOÑA ANA

¿Qué te admira?
Es ciega la voluntad.

Tras mí, como sabes, vino
amante y fino Don Juan,
quitándose de galán
lo que se añade de fino,

sin dejar a qué aspirar
a la ley del albedrío,
porque si él es ya tan mío
¿qué tengo que desear?

Pero no es aquesa sola
la causa de mi despego,
sino porque ya otro fuego
en mi pecho se acrisola.

Suelo en esta calle ver
pasar a un galán mancebo, *bachler*
que si no es el mismo Febo,
yo no sé quién pueda ser.

A éste ,¡ay de mí!, Celia mía,
no sé si es gusto o capricho,
y. . . Pero ya te lo he dicho,
sin saber que lo decía.

CELIA

¿Lloras?

DOÑA ANA

¿Pues no he de llorar
¡ay infeliz de mí!, cuando
conozco que estoy errando
y no me puedo enmendar?

CELIA

(A parte:

Qué buenas nuevas me dan
con esto que ahora he oído,
para tener yo escondido
en su cuarto al tal Don Juan,
que habiendo notado el modo
con que le trata enfadada,
quiere hacer la tarquinada
y dar al traste con todo.)
—¿Y quién, Señora, ha logrado tu amor?

DOÑA ANA

Sólo decir puedo
que es un Don Carlos de Olmedo
el galán. Mas han llamado:
mira quién es, que después te hablaré, Celia.

CELIA

¿Quién llama?

EMBOZADO

(Dentro.)

¡La Justicia!

DOÑA ANA

Ésta es la dama;
abre, Celia.

CELIA

Entre quien es.

43

ESCENA II

(Entran EMBOZADOS. y DOÑA LEONOR.)

EMBOZADO

Señora, auque yo no ignoro
el decoro de esta casa,
pienso que el entrar en ella
ha sido más venerarla
que ofenderla; y así, os ruego
que me tengáis esta dama
depositada, hasta tanto
que se averigüe la causa
porque le dio muerte a un hombre
otro que la acompañaba.

Y perdonad, que a hacer vuelvo
diligencias no escusadas
en tal caso.

(Vanse.)

DOÑA ANA

                ¿Qué es aquesto?
—Celia, a aquestos hombres llama
que lleven esta mujer,
que no estoy acostumbrada
a oír estas liviandades.

CELIA

(Aparte.)

Bien la deshecha mi ama
hace de querer tenerla.

DOÑA LEONOR

Señora (en la boca el alma
tengo ¡ay de mí), si piedad
mis tiernas lágrimas causan

en tu pecho (hablar no acierto),
te suplico arrodillada
que ya que no de mi vida,
tengas piedad de mi fama,
sin permitir, puesto que
ya una vez entré en tu casa,
que a otra me lleven adonde
corra mayores borrascas
mi opinión; que a ser mujer
como imaginas, liviana,
ni a ti te hiciera este ruego,
ni yo tuviera estas ansias.

DOÑA ANA

(Aparte a CELIA.)

A lástima me ha movido
su belleza y su desgracia.
Bien dice mi hermano, Celia.

CELIA

(Aparte a DOÑA ANA.)

Es belleza sobrehumana;
y si está así en la tormenta
¿cómo estará en la bonanza?

DOÑA ANA

Alzad del suelo, Señora,
y perdonad si turbada
del repentino suceso,
poco atenta y cortesana
me he mostrado, que ignorar
quién sois, pudo dar la causa
a la extrañeza; mas ya
vuestra persona gallarda
informa en vuestro favor,
de suerte que toda el alma
ofrezco para serviros.

DOÑA LEONOR

¡Déjame besar tus plantas,
bella deidad, cuyo templo,
cuyo culto, cuyas aras,
de mi deshecha fortuna
son el asilo!

DOÑA ANA

Levanta,
y cuéntame qué sucesos
a tal desdicha te arrastran;
aunque, si eres tan hermosa,
no es mucho ser desdichada.

CELIA

(Aparte.)

De la envidia que le tiene
no le arriendo la ganancia.

DOÑA LEONOR

Señora, aunque la vergüenza
me pudiera ser mordaza
para callar mis sucesos,
la que como yo se halla
en tan infeliz estado,
no tiene por qué callarlas;
antes pienso que me abono
en hacer lo que me mandas,
pues son tales los indicios
que tengo de estar culpada,
que por culpables que sean
son más decentes sus causas;
y así, escúchame.

DOÑA ANA

El silencio
te responda.

CELIA

¡Cosa brava!
¿Relación a media noche
y con vela? ¡Que no valga!

DOÑA LEONOR

Si de mis sucesos quieres
escuchar los tristes casos
con que ostentan mis desdichas
lo poderoso y lo vario,
escucha, por si consigo
que divirtiendo tu agrado,
lo que fue trabajo propio
sirva de ajeno descanso,
o porque en el desahogo
hallen mis tristes cuidados
a la pena de sentirlos
el alivio de contarlos.

Yo nací noble: éste fue
de mi mal el primer paso,
que no es pequeña desdicha
nacer noble un desdichado:
que aunque la nobleza sea
joya de precio tan alto,
es alhaja que en un triste
sólo sirve de embarazo;
porque estando en un sujeto,
reputnan como contrarios,
entre plebeyas desdichas
haber respetos honrados.

Decirte que nací hermosa
presumo que es excusado,
pues lo atestiguan tus ojos
y lo prueban mis trabajos.
Sólo diré. . . Aquí quisiera
no ser yo quien lo relato,
pues en callarlo o decirlo
dos inconvenientes hallo:

porque si digo que fui
celebrada por milagro
de discreción, me desmiente
la necedad del contarlo;
y si lo callo, no informo
de mí, y en un mismo caso
me desmiento si lo afirmo,
y lo ignoras si lo callo.
Pero es preciso al informe
que de mis sucesos hago
(aunque pase la modestia
la vergüenza de contarlo),
para que entiendas la historia,
presuponer asentado
que mi discreción la causa
fue principal de mi daño.

Inclinéme a los estudios
desde mis primeros años
con tan ardientes desvelos,
con tan ansiosos cuidados,
que reduje a tiempo breve
fatigas de mucho espacio.
Conmuté el tiempo, industriosa,
a lo intenso del trabajo,
de modo que en breve tiempo
era el admirable blanco
de todas las atenciones,
de tal modo, que llegaron
a venerar como infuso
lo que fue adquirido lauro.
Era de mi patria toda
el objeto venerado
de aquellas adoraciones
que forma el común aplauso;
y como lo que decía,
fuese bueno o fuese malo,
ni el rostro lo deslucía
ni lo desairaba el garbo,
llegó la superstición
popular a empeño tanto,

que ya adoraban deidad
el ídolo que formaron.

Voló la Fama parlera,
discurrió reinos extraños,
y en la distancia segura
acreditó informes falsos.
La pasión se puso anteojos
de tan engañosos grados,
que a mis moderadas prendas
agradaban los tamaños.
Víctima en mis aras eran,
devotamente postrados,
los corazones de todos
con tan comprensivo lazo,
que habiendo sido al principio
aquel culto voluntario,
llegó después la costumbre,
favorecida de tantos,
a hacer como obligatorio
el festejo cortesano;
y si alguno disentía
paradojo o avisado,
no se atrevía a proferirlo,
temiendo que, por extraño,
su dictamen no incurriese,
siendo de todos contrario,
en la nota de grosero
o en la censura de vano.

Entre estos aplausos yo,
con la atención zozobrando
entre tanta muchedumbre,
sin hallar seguro blanco,
no acertaba a amar a alguno,
viéndome amada de tantos.
Sin temor en los concursos
defendía mi recato
con peligros del peligro
y con el daño del daño.
Con una afable modestia

igualando el agasajo,
quitaba lo general
lo sospechoso al agrado.
Mis padres, en mi mesura
vanamente asegurados,
se descuidaron conmigo:
¡qué dictamen tan errado,
pues fue quitar por de fuera
las guardas y los candados
a una fuerza que en sí propia
encierra tantos contrarios!
Y como tan neciamente
conmigo se descuidaron,
fue preciso hallarme el riesgo
donde me perdió el cuidado.

Sucedió, pues, que entre muchos
que de mi fama incitados
contestar con mi persona
intentaban mis aplausos,
llegó acaso a verme (¡Ay Cielos!
¿Cómo permitís tiranos
que un afecto tan preciso
se forjase de un acaso?)
Don Carlos de Olmedo, un joven
forastero, mas tan claro
por su origen, que en cualquiera
lugar que llegue a hospedarlo,
podrá no ser conocido,
pero no ser ignorado.

Aquí, que me des te pido
licencia para pintarlo,
por disculpar mis errores,
o divertir mis cuidados;
o porque al ver de mi amor
los extremos temerarios,
no te admire que el que fue
tanto, mereciera tanto.
Era su rostro un enigma
compuesto de dos contrarios

que eran valor y hermosura,
tan felizmente hermanados,
que faltándole a lo hermoso
la parte de afeminado,
hallaba lo más perfecto
en lo que estaba más falto;
porque ajando las facciones
con un varonil desgarro,
no consintió a la hermosura
tener imperio asentado:
tan remoto a la noticia,
tan ajeno del reparo,
que aun no le debió lo bello
la atención de despreciarlo;
que como en un hombre está
lo hermoso como sobrado,
es bueno para tenerlo
y malo para ostentarlo.
Era el talle como suyo,
que aquel talle y aquel garbo,
aunque la Naturaleza
a otro dispusiera darlo,
sólo le asentara bien
al espíritu de Carlos:
que fue de su providencia
esmero bien acertado,
dar un cuerpo tan gentil
a espíritu tan gallardo.
Gozaba un entendimiento
tan sutil, tan elevado,
que la edad de lo entendido
era un mentís de sus años.
Alma de estas perfecciones
era el gentil desenfado
de un despejo tan airoso,
un gusto tan cortesano,
un recato tan amable,
un tan atractivo agrado,
que en el más bajo descuido
se hallaba el primor más alto;

tan humilde en los afectos,
tan tierno en los agasajos,
tan fino en las persuasiones,
tan apacible en el trato
y en todo, en fin, tan perfecto,
que ostentaba cortesano
despojos de lo rendido,
por galas de lo alentado.
En los desdenes sufrido,
en los favores callado,
en los peligros resuelto,
y prudente en los acasos.
Mira si con estas prendas,
con otras más que te callo,
quedaría, en la más cuerda,
defensa para el recato.

En fin, yo le amé; no quiero
cansar tu atención contando
de mi temerario empeño
la historia caso por caso;
pues tu discreción no ignora
de empeños enamorados,
que es su ordinario principio
desasosiego y cuidado,
su medio, lances y riesgos,
su fin, tragedias o agravios.
Creció el amor en los dos
recíproco y deseando
que nuestra feliz unión
lograda en tálamo casto
confirmase de Himeneo
el indisoluble lazo;
y por que acaso mi padre,
que ya para darme estado
andaba entre mis amantes
los méritos regulando,
atento a otras conveniencias
no nos fuese de embarazo,
dispusimos esta noche

la fuga, y atropellando
el cariño de mi padre,
y de mi honor el recato,
salí a la calle, y apenas
daba los primeros pasos
entre cobardes recelos
de mi desdicha, fïando
la una mano a las basquiñas
y a mi manto la otra mano,
cuando a nosotros resueltos
llegaron dos embozados.
"¿Qué gente?" dicen, y yo
con el aliento turbado,
sin reparar lo que hacía
(porque suele en tales casos
hacer publicar secretos
el cuidado de guardarlos),
"¡Ay, Carlos, perdidos somos!"
dije, y apenas tocaron
mis voces a sus oídos
cuando los dos arrancando
los aceros, dijo el uno:
"Matadlo, Don Juan, matadlo;
que esa tirana que lleva,
es Doña Leonor de Castro,
mi prima". Sacó mi amante
el acero, y alentado,
apenas con una punta
llegó al pecho del contrario,
cuando diciendo: "¡Ay de mí!"
dio en tierra, y viendo el fracaso
dio voces el compañero,
a cuyo estruendo llegaron
algunos; y aunque pudiera
la fuga salvar a Carlos,
por no dejarme en el riesgo
se detuvo temerario,
de modo que la Justicia,
que acaso andaba rondando,
llegó a nosotros, y aunque

segunda vez obstinado
intentaba defenderse,
persuadido de mi llanto
rindió la espada a mi ruego,
mucho más que a sus contrarios.
Prendiéronle, en fin; y a mí,
como a ocasión del estrago,
viendo que el que queda muerto
era Don Diego de Castro,
mi primo, en tu noble casa,
Señora, depositaron
mi persona y mis desdichas,
donde en un punto me hallo
sin crédito, sin honor,
sin consuelo, sin descanso,
sin aliento, sin alivio,
y finalmente esperando
la ejecución de mi muerte
en la sentencia de Carlos.

DOÑA ANA

(*Aparte:*

¡Cielos! ¿qué es esto que escucho?
Al mismo que yo idolatro
es al que quiere Leonor. . .
¡Oh qué presto que ha vengado
Amor a Don Juan! ¡Ay triste!)

—Señora, vuestros cuidados
siento como es justo. —Celia,
lleva esta dama a mi cuarto
mientras yo a mi hermano espero.

CELIA

Venid, Señora.

DOÑA LEONOR

Tus pasos
sigo, ¡ay de mí!, pues es fuerza
obedecer a los hados.

(*Vanse* CELIA y DOÑA LEONOR.)

DOÑA ANA

Si de Carlos la gala y bizarría
pudo por sí mover a mi cuidado,
¿cómo parecerá, siendo enviado,
lo que sólo por sí bien parecía?

Si sin triunfo rendirle pretendía,
sabiendo ya que vive enamorado
¿qué victoria será verle apartado
de quien antes por suyo le tenía?

Pues perdone Don Juan, que aunque yo quiera
pagar su amor, que a olvido ya condeno,
¿cómo podré si ya en mi pena fiera

introducen los celos su veneno?
Que es Carlos más galán; y aunque no fuera,
tiene de más galán el ser ajeno.

ESCENA III

(*Sale* DON CARLOS *con la espada desnuda, y* CASTAÑO.)

DON CARLOS

Señora, si en vuestro amparo
hallan piedad las desdichas,
lograd el triunfo mayor
siendo amparo de las mías.
Siguiendo viene mis pasos
no menos que la Justicia,
y como huir de ella es
generosa cobardía,
al asilo de esos pies

mi acosado aliento aspira,
aunque si ya perdí el alma,
poco me importa la vida.

CASTAÑO

A mí sí me importa mucho;
y así, Señora, os suplica
mi miedo, que me escondáis
debajo de las basquiñas.

DON CARLOS

¡Calla, necio!

CASTAÑO

                ¿Pues será
la primer vez, si lo miras,
ésta, que los sacristanes
a los delincuentes libran?

DOÑA ANA

(Aparte:

Carlos es, ¡válgame el Cielo!
La ocasión a la medida
del deseo se me viene
de obligar con bizarrías
su amor, sin hacer ultraje
a mi presunción altiva;
pues amparándole aquí
con generosas caricias,
cubriré lo enamorada
con visos de compasiva;
y sin ajar la altivez
que en mi decoro es precisa,
podré, sin rendirme yo,
obligarle a que se rinda;
que aunque sé que ama a Leonor,
¿qué voluntad hay tan fina
en los hombres, que si ven

que otra ocasión los convida
la dejen por la que quieren?
Pues alto, Amor, ¿qué vacilas,
si de que puede mudarse
tengo el ejemplo en mí misma?)

— Caballero, las desgracias
suelen del valor ser hijas
y cebo de las piedades;
y así, si las vuestras libran
en mí su alivio, cobrad
la respiración perdida,
y en esta cuadra, que cae
a un jardín, entrad aprisa,
antes que venga un hermano
que tengo, y con la malicia
de veros conmigo solo
otro riesgo os aperciba.

DON CARLOS

No quisiera yo, Señora,
que el amparo de mi vida
a vos os costara un susto.

CASTAÑO

¿Ahora en aqueso miras?
¡Cuerpo de quien me parió!

DOÑA ANA

Nadie a mí me desanima.
Venid, que aquí hay una pieza
que nunca mi hermano pisa,
por ser en la que se guardan
alhajas que en las visitas
de cumplimiento me sirven,
como son alfombras, sillas
y otras cosas; y además
de aqueso, tiene salida
a un jardín, por si algo hubiere:

57

y porque nada os aflija,
venid y os la mostraré;
pero antes será precisa
diligencia el que yo cierre
la puerta, porque advertida
salga en llamando mi hermano.

CASTAÑO

(*Aparte a* DON CARLOS.)

Señor, ¡qué casa tan rica
y qué dama tan bizarra!
¿No hubieras (¡pese a mis tripas,
que claro es que ha de pesarles,
pues se han de quedar vacías!)
enamorado tú a aquésta
y no a aquella pobrecita
de Leonor, cuyo caudal
son cuatro bachillerías?

DON CARLOS

!Vive Dios, villano!

DOÑA ANA

Vamos.

(*Aparte.*)

Amor, pues que tú me brindas
con la dicha, no le niegues
después el logro a la dicha.

(*Vanse.*)

CUADRO SEGUNDO

[*En casa de* LEONOR.]

ESCENA IV

(*Salen* DON RODRIGO *y* HERNANDO.)

DON RODRIGO

¿Qué me dices, Hernando?

HERNANDO

Lo que pasa:
que mi Señora se salió de casa.

DON RODRIGO

¿Y con quién, no has sabido?

HERNANDO

¿Cómo puedo,
si como sabes tú, todo Toledo
y cuantos a él llegaban,
su belleza e ingenio celebraban?
Con lo cual, conocerse no podía
cuál festejo era amor, cuál cortesía;
en que no sé si tú culpado has sido,
pues festejarla tanto has permitido,
sin advertir que, aunque era recatada,
es fuerte la ocasión y el verse amada,
y que es fácil que, amante e importuno,
entre los otros le agradase alguno.

DON RODRIGO

Hernando, no me apures la paciencia
que aquéste ya no es tiempo de advertencia.

¡Oh fiera! ¿Quién diría
de aquella mesurada hipocresía,
de aquel punto y recato que mostraba,
que liviandad tan grande se encerraba
en su pecho alevoso?
¡Oh mujeres! ¡Oh monstruo venenoso!
¿Quién en vosotras fía,
si con igual locura y osadía,
con la misma medida
se pierde la ignorante y la entendida?

59

Pensaba yo, hija vil, que tu belleza,
por la incomodidad de mi pobreza,
con tu ingenio sería
lo que más alto dote te daría;
y ahora, en lo que has hecho,
conozco que es más daño que provecho;
pues el ser conocida y celebrada
y por nuevo milagro festejada,
me sirve, hecha la cuenta,
sólo de que se sepa más tu afrenta.

¿Pero cómo a la queja se abalanza
primero mi valor, que a la venganza?
¿Pero cómo, ¡ay de mí!, si en lo que lloro
la afrenta sé y el agresor ignoro?
Y así ofendido, sin saber me quedo
ni cómo, ni de quién vengarme puedo.

HERNANDO

Señor, aunque no sé con evidencia
quién pudo de Leonor causar la ausencia,
por el rumor que había
de los muchos festejos que le hacía,
tengo por caso llano
que la llevó Don Pedro de Arellano.

DON RODRIGO

Pues si Don Pedro fuera,
dí ¿qué dificultad hallar pudiera
en que yo por mujer se la entregara
sin que tan grande afrenta me causara?

HERNANDO

Señor, como eran tantos los que amaban
a Leonor, y su mano deseaban,
y a ti te la han pedido,
temería no ser el elegido:
que todo enamorado es temeroso,
y nunca juzga que será el dichoso;

y aunque usando tal medio
le alabo yo el temor y no el remedio,
sin duda por quitar la contingencia
se quiso asegurar con el ausencia.
Y así, Señor, si tomas mi consejo
— tú estás cansado y viejo,
Don Pedro es mozo, rico y alentado,
y sobre todo, el mal ya está causado —
pórtate con él cuerdo, cual conviene,
y ofrécele lo mismo que él se tiene:
dile que vuelva a casa a Leonor bella
y luego al punto cásale con ella,
y él vendrá en ello, pues no habrá quien huya
lo que ha de resultar en honra suya;
y con lo que te ordeno,
vendrás a hacer antídoto el veneno.

DON RODRIGO

¡Oh Hernando! ¡Qué tesoro es tan preciado
un fiel amigo, o un leal criado!
Buscar a mi ofensor aprisa elijo
por converirle de enemigo en hijo.

HERNANDO

Sí, Señor, que el remedio es bien se aplique
antes que el mal que pasa se publique.

(Vanse.)

CUADRO TERCERO

[*En casa de* DON PEDRO]

ESCENA V

(Sale DOÑA LEONOR *retirándose de* DON JUAN.*)*

DON JUAN

Espera, hermosa homicida.
¿De quién huyes? ¿Quién te agravia?

¿Qué harás de quien te aborrece
si así a quien te adora tratas?
Mira que ultrajas huyendo
los mismos triunfos que alcanzas,
pues siendo el vencido yo
tú me vuelves las espaldas,
y que haces que se ejerciten
dos acciones encontradas:
tú, huyendo de quien te quiere;
yo, siguiendo a quien me mata.

DOÑA LEONOR

Caballero, o lo que sois:
si apenas en esta casa,
que aun su dueño ignoro, acabo
de poner la infeliz planta,
¿cómo queréis que yo pueda
escuchar vuestas palabras,
si de ellas entiendo sólo
el asombro que me causan?
y así, si como sospecho
me juzgáis otra, os engaña
vuestra pasión. Deteneos
y conoced, más cobrada
la atención, que no soy yo
la que vos buscáis.

DON JUAN

                    ¡Ah ingrata!
Sólo eso falta, que finjas,
para no escuchar mis ansias,
como que mi amor tuviera
condición tan poco hidalga
que en escuchar mis lamentos
tu decoro peligrara.
Pues bien para asegurarte,
las experiencias pasadas
bastaban, de nuestro amor,
en que viste veces tantas

que las olas de mi amor
cuando más crespas llegaban
a querer con los deseos
de amor anegar la playa
era margen tu respeto
al mar de mi esperanzas.

DOÑA LEONOR

Ya he dicho que no soy yo,
caballero, y esto basta;
idos, o yo llamaré
a quien oyendo esas ansias
las premie por verdaderas
o las castigue por falsas.

DON JUAN

Escucha.

DOÑA LEONOR

No tengo qué.

DON JUAN

¡Pues vive el Cielo, tirana,
que forzada me has de oír
si no quieres voluntaria,
y ha de escucharme grosero
quien de lo atento se cansa!

(Cógela de un brazo.)

DOÑA LEONOR

¿Qué es esto? ¡Cielos, valedme!

DON JUAN

En vano a los Cielos llamas,
que mal puede hallar piedad
quien siempre piedad le falta.

DOÑA LEONOR

¡Ay de mí! ¿No hay quién socorra
mi inocencia?

ESCENA VI

(Salen DON CARLOS *y* DOÑA ANA *deteniéndolo.)*

DOÑA ANA

Tente, aguarda,
que yo veré lo que ha sido,
sin que tú al peligro salgas
si es que mi hermano ha venido.

DON CARLOS

Señora, esta voz el alma
me ha atravesado; perdona.

DOÑA ANA

(Aparte:

La puerta tengo cerrada;
y así, de no ser mi hermano
segura estoy; mas me causa
inquietud el que no sea
que Carlos halle a su dama;
pero si ella está en mi cuarto
y Celia fue a acompañarla,
¿qué ruido puede ser éste?
Y a oscuras toda la cuadra
está.)
— ¿Quién va?

DON CARLOS

Yo, Señora:
¿qué me preguntas?

DON JUAN

                    Doña Ana,
mi bien, Señora, ¿por qué
con tanto rigor me tratas?
¿Éstas eran las promesas,
estas eran las palabras
que me distes en Madrid
para alentar.mi esperanza?
Si obediente a tus preceptos,
de tus rayos salamandra,
girasol de tu semblante,
Clicie de tus luces claras,
dejé, sólo por servirte,
el regalo de mi casa,
el respeto de mi padre
y el cariño de mi patria;
si tú, si no de amorosa,
de atenta y de cortesana,
diste con tácito agrado
a entender lo que bastaba
para que supiese yo
que era ofrenda mi esperanza
admitida en el sagrado
sacrificio de tus aras,
¿cómo ahora tan esquiva
con tanto rigor me tratas?

DOÑA ANA

                    (*Aparte*).

¿Qué es esto que escucho, Cielos?
¿No es éste Don Juan de Vargas,
que mi ingratitud condena
y sus finezas ensalza?
¿Pues quién aquí le ha traído?

DON CARLOS

Señora, escucha.

(Llega DON CARLOS *a* DOÑA LEONOR.)

DOÑA LEONOR
      Hombre, aparta;
ya te he dicho que me dejes.

DON CARLOS

Escucha, hermosa Doña Ana,
mira que Don Carlos soy,
a quien tu piedad ampara.

DOÑA LEONOR

(Aparte.)

Don Carlos ha dicho ¡Cielos!
y hasta en el habla jurara
que es Don Carlos; y es que como
tengo a Carlos en el alma,
todos Carlos me parecen,
cuando él ¡ay, prenda adorada!
en la prisión estará.

DON CARLOS

¿Señora?

DOÑA LEONOR

      Apartad, que basta
deciros que me dejéis.

DON CARLOS

Si acaso estáis enojada
porque hasta aquí os he seguido,
perdonad, pues fue la causa
solamente el evitar
si algún daño os amenaza.

DOÑA LEONOR

(Aparte.)

¡Válgame Dios, lo que a Carlos
parece?

DON JUAN

¿Qué, en fin, ingrata,
con tal rigor me desprecias?

ESCENA VII

(Sale CELIA *con luz.)*

CELIA

(Aparte.)

A ver si está aquí mi ama,
para sacar a Don Juan
que oculto dejé en su cuadra,
vengo; más ¿qué es lo que veo?

DOÑA LEONOR

(Aparte.)

¿Qué es esto? ¡El Cielo me valga!
¿Carlos no es éste que miro?

DON CARLOS

(Aparte.)

¡Esta es Leonor, o me engaña
la aprensión!

DOÑA ANA

(Aparte.)

¿Don Juan aquí?
Aliento y vida me faltan.

DON JUAN

(Aparte.)

¿Aquí Don Carlos de Olmedo?
Sin duda que de Doña Ana
es amante, y que por él
aleve, inconstante y falsa
me trata a mí con desdén.

DOÑA LEONOR

(Aparte.)

¡Cielos! ¿En aquesta casa
Carlos, cuando amante yo
en la prisión le lloraba?
¿En una cuadra escondido,
y a mí, pensando que hablaba
con otra, decirme amores?
Sin duda que de esta dama
es amante. Pero ¿cómo?
¿Si es ilusión lo que pasa
por mí? ¡Si a él lo llevaron preso
y quedé depositada
yo! Toda soy un abismo
de penas.

DON JUAN

¡Fácil, liviana!
¿Éstos eran los desdenes:
tener dentro de tu casa
oculto un hombre? ¡Ay de mí!
¿Por esto me desdeñabas?
¡Pues, vive el Cielo, traidora,
que pues no puede mi saña
vengar en ti mi desprecio,
porque aquella ley tirana
del respeto a las mujeres,
de mis rigores te salva,
me he de vengar en tu amante!

DOÑA ANA

¡Detente, Don Juan, aguarda!

DON CARLOS

(Aparte.)

Son tantas las confusiones
en que mi pecho batalla,
que en su varia confusión
el discurso se embaraza,
y por discurrirlo todo
acierto a discurrir nada.
¡Aquí Leonor, Cielos! ¿Cómo?

DOÑA ANA

¡Detente!

DON JUAN

¡Aparta, tirana,
que a tu amante he de dar muerte!

CELIA

Señora, mi Señor llama.

DOÑA ANA

¿Qué dices, Celia? ¡Ay de mí!
—Caballeros, si mi fama
os mueve, débaos ahora
el ver que no soy culpada
aquí en la entrada de alguno,
a esconderos, que palabra
os doy de daros lugar
de que averigüéis mañana
la causa de vuestras dudas;
pues si aquí mi hermano os halla,
mi vida y mi honor peligran.

DON CARLOS

En mí bien asegurada
está la obediencia, puesto
que debo estar a tus plantas
como a amparo de mi vida.

DON JUAN

Y en mí, que no quiero, ingrata
aunque ofendido me tienes,
cuando eres tú quien lo manda,
que a otro, porque te obedece,
le quedes más obligada.

DOÑA ANA

Yo os estimo la atención,
Celia, tú en distintas cuadras
oculta a los dos, supuesto
que no es posible que salga
hasta la mañana, alguno.

CELIA

Ya poco término falta.
—Don Juan, conmigo venid.
—Tú, Señora, a esa fantasma
éntrala donde quisieres.

(Vanse CELIA *y* DON JUAN.*)*

DOÑA ANA

Caballero, en esa cuadra
os entrad.

DON CARLOS

Ya te obedezco.
¡Oh, quiera el Cielo que salga
de tan grande confusión!

(Vase.)

DOÑA ANA

Leonor, también retirada
puedes estar.

DOÑA LEONOR

Yo Señora,
aunque no me lo mandaras
me ocultara mi vergüenza.

(Vase.)

DOÑA ANA

¿Quién vio confusiones tantas
como en el breve discurso
de tan pocas horas pasan?
¡Apenas estoy en mí!

(Sale CELIA.)

CELIA

Señora, ya en mi posada
está. ¿Qué quieres ahora?

DOÑA ANA

A abrir a mi hermano baja,
que es lo que ahora importa, Celia.

CELIA

(Aparte.)

Ella está tan asustada
que se olvida de saber
cómo entró Don Juan en casa;
mas ya pasado el aprieto,
no faltará una patraña
que decir, y echar la culpa
a alguna de las criadas,
que es cierto que donde hay muchas
se peca de confianza,

pues unas a otras se culpan
y unas por otras se salvan

(Vase.)

DOÑA ANA

¡Cielos, en qué empeño estoy:
de Carlos enamorada,
perseguida de Don Juan,
con mi enemiga en mi casa,
con crïadas que me venden,
y mi hermano que me guarda!
Pero él llega; disimulo.

ESCENA VIII

(Sale DON PEDRO.)

DON PEDRO

Señora, querida hermana,
¡qué bien tu amor se conoce,
y qué bien mi afecto pagas,
pues te halló despierta el Sol,
y te ve vestida el Alba!
¿Dónde tienes a Leonor?

DOÑA ANA

En mi cuadra, retirada
mandé, que estuviese, en tanto,
hermano, que tú llegabas
Mas ¿cómo tan tarde vienes?

DON PEDRO

Porque al salir de su casa
la conoció un deudo suyo,
a quien con una estocada
dejó Carlos casi muerto;

y yo viendo alborotada
la calle, aunque no sabían
quién era y quién la llevaba,
para que aquel alboroto
no declarara la causa,
hice que, de los crïados,
dos al herido cargaran,
como de piedad movido,
hasta llevarle a su casa,
mientras otros a Leonor,
y a Carlos preso, llevaban,
para entregártela a ti;
y hasta dejar sosegada
la calle, venir no quise.

DOÑA ANA

Fue atención muy bien lograda,
pues excusaste mil riesgos
sólo con esa tardanza.

DON PEDRO

Eres en todo discreta;
y pues Leonor sosegada
está, si a ti te parece,
no será bien inquietarla,
que para que oiga mis penas,
teniéndola yo en mi casa,
sobrado tiempo me queda;
que no es amante el que trata
primero de sus alivios
que no del bien de su dama;
y también para que tú
te recojas que ya basta
por aliviar mis desvelos,
la mala vida que pasas.

DOÑA ANA

Hermano, yo por servirte
muchos más riesgos pasara,

pues somos los dos tan uno
y tan como propias trata
tus penas el alma, que
imagino al contemplarlas
que tu desvelo y el mío
nacen de una misma causa.

DON PEDRO

De tu fineza lo creo.

DOÑA ANA

(Aparte.)

Si entendieras mis palabras. . .

DON PEDRO

Vámonos a recoger,
si es que quien ama descansa.

DOÑA ANA

(Aparte.)

Voy a sosegarme un poco,
si es que sosiega quien ama.

DON PEDRO

Amor, si industrias alientas,
anima mis esperanzas.

DOÑA ANA

(Aparte.)

Amor, si tú eres cautelas,
a mis cautelas ampara.

(Vanse.)

LETRA POR "BELLÍSIMO NARCISO". . .

Bellísima María,
a cuyo Sol radiante,
del otro Sol se ocultan
los rayos materiales;

tú, que con dos celestes
divinos luminares,
árbitro de las luces,
las cierras, o las abres:

que, porque de ser soles
la virtud no les falte,
engrendran de tu pelo
los ricos minerales,

cuyo Ofir proceloso,
al arbitrio del aire,
forma en ricas tormentas
doradas tempestades,

sin permitir lo negro:
que no era bien se hallasen,
entre copia de luces,
sombra de obscuridades,

dejando a la hermosura
plebeya el azabache,
que es lucir con lo puesto
de mendigas deidades;

y al adornar tu frente,
se mira coronarse
con arreboles de oro
montaña de diamante

pues dándole la nieve
transparentes pasajes,
lo cándido acredita,
mas desmiente lo frágil. . .

75

En fin, Lysi divina,
perdona si, ignorante
a un mar de perfecciones
me engolfé en leño frágil.

Y pues para tu aplauso
nunca hay voces capaces,
tú te alabas, pues sola
es razón que te alabes.

SAINETE PRIMERO DE PALACIO

INTERLOCUTORES

El Amor	**El Obsequio**	**La Esperanza**
El Respeto	**La Fineza**	**Un Alcalde**

(Sale el ALCALDE *cantando.)*

ALCALDE

Alcalde soy del Terrero,
y quiero en esta ocasión,
de los entes de Palacio
hacer ente de razón.
Metafísica es del gusto
sacarlos a plaza hoy,
que aquí los mejores entes
los metafísicos son.
Vayan saliendo a la plaza,
porque aunque invisibles son,
han de parecer reales,
aunque le pese a Platón.
Del desprecio de las Damas,
plenipotenciario hoy;
y del favor no, porque
en Palacio no hay favor.
El desprecio es aquí el premio,
y aun eso cuesta sudor;

77

pues no lo merece sino
el que no lo mereció.

¡Salgan los Entes, salgan,
que se hace tarde,
y en Palacio se usa
que espere nadie!

(Sale el AMOR, *cubierto.)*

AMOR

Yo, Señor Alcalde, salgo
a ver si merezco el premio.

ALCALDE

¿Y quién sois?

AMOR

Soy el Amor.

ALCALDE

¿Y por qué venís cubierto?

AMOR

Porque, aunque en Palacio asisto,
soy delincuente.

ALCALDE

Si hay eso,
¿por qué venís a Palacio?

AMOR

Porque me es preciso hacerlo.
y tuviera mayor culpa,
a no tener la que tengo.

ALCALDE

¿Cómo así?

AMOR

Porque en Palacio,
quien no es amante, es grosero;
y escoger el menor quise,
entre dos precisos yerros.

ALCALDE

¿Y por eso pretendéis
el premio?

AMOR

Sí.

ALCALDE

¡Majadero!
¿Quién os dijo que el Amor
es digno ni aun del desprecio?

(Canta:)

¡Andad, andad adentro;
que el que pretende,
dice que es el desprecio,
y el favor quiere!

(Vase el AMOR, *y sale el* OBSEQUIO.)

OBSEQUIO

Señor Alcalde, de mí
no se podrá decir eso.

AI CALDE

¿Quién sois?

OBSEQUIO

El Obsequio soy,
debido en el galanteo
de las Damas de Palacio.

ALCALDE

Bien ¿y por qué queréis premio,
si decís que sois debido?
¡Por cierto, sí, que es muy bueno
que lo que nos debéis vos,
queréis que acá lo paguemos!

(Canta:)

¡Andad, andad adentro;
porque las Damas
llegan hasta las deudas,
no hasta las pagas!

(Vase el OBSEQUIO, *y sale el* RESPETO.)

RESPETO

Yo, que soy el más bien visto
ente de Palacio, vengo
a que me premiéis, Señor.

ALCALDE

¿Y quién sois?

RESPETO

Soy el Respeto.

ALCALDE

Pues yo no os puedo premiar.

RESPETO

¿Por qué no?

ALCALDE

Porque si os premio,
será vuestra perdición.

RESPETO

¿Cómo así?

ALCALDE

Porque lo exento
de las deidades, no admite
pretensión: y el pretenderlo
y conseguirlo, será
perdérseles el respeto.

(Canta:)

¡Andad, andad adentro;
que no es muy bueno
el Respeto que mira
varios respetos!

(Vase el RESPETO, *y sale la* FINEZA.)

FINEZA

Yo, Señor, de todos sola
soy quien el premio merezco.

ALCALDE

¿Quién sois?

FINEZA

La Fineza soy:
ved si con razón pretendo.

ALCALDE

¿Y en qué, el merecer fundáis?

FINEZA

¿En qué? En lo fino, lo atento,
en lo humilde, en lo obsequioso,
en el cuidado, el desvelo,
y en amar por sólo amar.

ALCALDE

Vos mentís en lo propuesto:
que si amarais por amar,
aun siendo el premio el desprecio,
no lo quisierais, siquiera
por tener nombre de premio.
Demás de que yo conozco,
y en las señas os lo veo,
que no sois vos la Fineza.

FINEZA

¿Pues qué tengo de no serlo?

ALCALDE

Vení acá. ¿Vos nos decís
que sois la Fineza?

FINEZA

Es cierto.

ALCALDE

Veis ahí cómo no lo sois.

FINEZA

¿Pues en qué tengo de verlo?

ALCALDE

¿En qué? En que vos lo decís;
y el amante verdadero
ha de tener de lo amado
tan soberano concepto,

que ha de pensar que no alcanza
su amor al merecimiento
de la beldad a quien sirve;
y aunque la ame con extremo,
ha de pensar siempre que es
su amor, menor que el objeto
y confesar que no paga
con todos los rendimientos;
que lo fino del amor
está en no mostrar el serlo.

(Canta:)

¡Y andad, andad adentro;
que la Fineza
mayor es, de un amante,
no conocerla!

(Vase la FINEZA, *y sale la* ESPERANZA, *tapada.)*

ESPERANZA

El haber, Señor Alcalde,
sabido que es el propuesto
premio el desprecio, me ha dado
ánimo de pretenderlo.

ALCALDE

Decid quién sois, y veré
si lo merecéis.

ESPERANZA

No puedo;
que me hicierais desterrar,
si llegarais a saberlo.

ALCALDE

Pues, ¿y cómo puedo yo
premiaros sin conoceros?

ESPERANZA

¿Pues para aqueso no basta
el saber que lo merezco?

ALCALDE

Pues si yo no sé quién sois,
ni siquiera lo sospecho,
¿de dónde puedo inferir
yo vuesto merecimiento?
Y así, perded el temor
que os encubre, del destierro
(que aunque tengáis mil delitos,
por esta vez os dispenso),
y descubríos.

ESPERANZA

        La Esperanza
soy.

ALCALDE

¿Qué grande atrevimiento!
¿Una villana en Palacio?

ESPERANZA

Sí, pues qué os espantáis de eso
si siempre vivo en Palacio,
aunque con nombre supuesto.

ALCALDE

¿Y cuál es?

ESPERANZA

        Desconfianza
me llamo entre los discretos,
y soy Desconfianza fuera
y Esperanza por de dentro;

y así, oyendo pregonar
el premio, a llevarle vengo:
que la Esperanza, en Palacio,
sólo es digna del desprecio.

ALCALDE

Mientes: que el desprecio toma
algún género de cuerpo
en la boca de las Damas,
y al decirlo, por lo menos
se le detiene en los labios,
y se le va con los ecos;
y esto basta para hacerse
mucho aprecio del desprecio,
y sobra para que sea
premio para los discretos;
que no es razón que a una dama
le costara tanto un necio.

(Canta:)

¡Andad, andad adentro;
que la Esperanza,
por más que disimule,
siempre es villana!

Y pues se han acabado
todos los entes,
sin que ninguno el premio
propuesto lleve,
sépase que en las Damas,
aun los desdenes,
aunque tal vez se alcanzan,
no se merecen.
Y así, los entes salgan,
porque confiesen
que no merece el premio
quien lo pretende.

(Salen los Entes, y cada uno canta su copla.)

AMOR

Verdad es lo que dices:
pues aunque amo,
el Amor es obsequio,
mas no contrato.

OBSEQUIO

Ni tampoco el Obsequio;
porque en Palacio,
con que servir lo dejen,
queda pagado.

RESPETO

Ni tampoco el Respeto
algo merece;
que a ninguno le pagan
lo que se debe.

FINEZA

La Fienza tampoco;
porque, bien visto,
no halla en lo obligatorio
lugar lo fino.

ESPERANZA

Yo, pues nada merezco
siendo Esperanza,
de hoy más llamarme quiero
Desesperada.

ALCALDE

Pues sepan, que en Palacio,
los que lo asisten,
aun los mismos desprecios
son imposibles.

JORNADA SEGUNDA

CUADRO PRIMERO

ESCENA I

(*Salen* DON CARLOS y CASTAÑO.)

DON CARLOS

Castaño, yo estoy sin mí.

CASTAÑO

Y yo, que en todo te sigo,
tan sólo he estado conmigo
aquel rato que dormí.

DON CARLOS

¿Sabes lo que me ha pasado?
Mas juzgo que sueño fue.

CASTAÑO

Si es sueño muy bien lo sé;
y yo también he soñado

y dormido como dama.
pues los vestidos, Señor
que me dio al salir Leonor,
son quien me sirvió de cama.

DON CARLOS

¿Galas suyas a llevarlas
anoche Leonor te dio?

CASTAÑO

Sí, Señor, si *las lió*,
¿no era preciso el liarlas?

87

DON CARLOS

¿Dónde las tienes?

CASTAÑO

        Allí,
y en cama quiero rompellas,
que pues yo las cargué a ellas,
ellas me carguen a mí.

DON CARLOS

Yo he visto (¡pierdo el sentido!)
en esta casa a Leonor.

CASTAÑO

Aqueso será, Señor,
que quien bueyes ha perdido. . .

y así tú, que en tus amores
te desvanece el furor,
como has perdido a Leonor,
se te aparecen Leonores.

Mas dime qué te pasó
con aquella dama bella,
que así Dios se duela de ella
como de mí se dolió;

porque viendo que contigo
empezaba a discurrir,
me trate yo de dormir
por excusar un testigo.

DON CARLOS

Castaño, aquésa es malicia;
pero lo que pasó fue
que, como sabes, entré
huyendo de la Justicia;

que ella atenta y cortesana
ampararme prometió,
y en esta cuadra me entró
y me dijo que era hermana

de Don Pedro de Arellano,
y que aquí oculto estaría,
porque si acaso venía
no me encontrara su hermano;

y con tanta bizarría
me hizo una y otra promesa,
que con ser tal su belleza
es mayor su cortesía,

y discreta y lisonjera,
alabándome, añadió
cosas que, a ser vano yo,
a otro afecto atribuyera.

Pero son quimeras vanas
de jóvenes altiveces;
que en mirándolas corteses
luego las juzgan livianas;

y sus malicias erradas
en su mismo mal contentas,
si no las ven desatentas,
no las tienen por honradas;

y a un pensar tan desigual
y aun no indigno del desdén,
nunca ellas obran más bien
que cuando las tratan mal,

pues al que se desvanece
con cualquiera presunción,
le hace daño la atención,
y es porque no la merece.

Pero, volviendo al suceso
de lo que a mí me pasó,
ella me favoreció,
Castaño, con grande exceso.

Yo mi historia le conté,
y ella con discreto modo
quedó de ajustarlo todo
con tal que yo aquí me esté,

diciendo que no me diese
cuidado, que ella lo hacía
por el riesgo que tenía
si yo en público saliese:

condición, para mí, que
imposible hubiera sido,
a no haberme sucedido
lo que ahora te diré.

Estando de esta manera,
oímos, al parecer,
dar voces una mujer
en otra cuadra de afuera;

y aunque Doña Ana impedir
que yo saliese quería,
venciéndola mi porfía
por fuerza hube de salir.

Sacó una luz al rumor
una crïada, y con ella
conocer a Leonor bella
pude.

CASTAÑO

¿A quién?

DON CARLOS

A mi Leonor.

CASTAÑO

¿A Leonor? ¿Haslo soñado?
¿Hay tan grande bobería?
Yo por loco te tenía,
pero no tan declarado.

De oírlo sólo me espanto.
Señor, vete poco a poco;
mira, muy bueno es ser loco,
mas no es bueno serlo tanto.

La locura es conveniente
por las entradas de mes,
como luna, un si es no es,
cuanto ayude a ser valiente;

mas no, Señor, de manera
que oyendo esos desatinos
te me atisben los vecinos
porque saben la tronera.

DON CARLOS

Pícaro, si no estuviera
donde estoy. . .

CASTAÑO

                Tente, Señor;
que yo también vi a Leonor.

DON CARLOS

¿Adónde?

CASTAÑO

                En tu faltriquera, —
pintada con mil primores.
Y que era viva entendí,
porque luego que la vi
le salieron los colores;

Y aunque de razón escasa
no me resolvió la duda,
yo pensé, viéndola muda,
que estaba puesta la pasa.

91

DON CARLOS

¡Qué friolera!

CASTAÑO

      ¿Qué te enfadas
si viva me pareció?
Algunas he visto yo
que están vivas y pintadas.

DON CARLOS

Si en belleza es Sol Leonor,
¿para qué afeites quería?

CASTAÑO

Pues si es Sol, ¿cómo podía
estar sin el resplandor?

Mas si a Leonor viste, di,
¿qué determinas hacer?

DON CARLOS

Quiero esperar hasta ver
qué causa la trajo aquí;

pues si piadosa mi estrella
aquí la dejó venir,
¿adónde tengo de ir
si aquí me la dejo a ella?

Y así, es mejor esperar
de todo resolución,
para ver si hay ocasión
de volvérmela a llevar.

CASTAÑO

Bien dices; mas hacia acá,
Señor, viene enderezada
una, al parecer crïada
de esta casa.

DON CARLOS

¿Qué querrá?

ESCENA II

(Sale CELIA.*)*

CELIA

Caballero, mi Señora
os ordena que al jardín
os retiréis luego, a fin
de que ha de salir ahora
a esta cuadra mi Señor,
y no será bien que os vea.

(Aparte.)

Aquesto es porque no sea
que él desde aquí vea a Leonor.

DON CARLOS

Decidme que mi obediencia
le responde.

(Vase.)

CELIA

Vuelvo a irme.

CASTAÑO

¿Oye vusté, y querrá oírme?

CELIA

¿Qué he de oír?

CASTAÑO

De penitencia.

93

CELIA

Por cierto, lindos cuidados
se tiene el muy socarrón.

CASTAÑO

Pues digo, ¿no es confesión
el decirle mis pecados?

CELIA

No a mi afecto se abalance,
que son lances excusados.

CASTAÑO

Si nos tienes encerrados,
¿no te he de querer de lance?

CELIA

Ya he dicho que no me quiera.

CASTAÑO

Pues ¿qué quiere tu rigor,
si de mi encierro y tu amor
no me puedo hacer afuera?

Mas ¿siendo criada, te engríes?

CELIA

¿Criada a mí, el muy estropajo?

CASTAÑO

Calla, que aqueste agasajo
es porque no te descríes.

CELIA

Yo me voy, que es fuerza, y luego
si no es juego volveré.

CASTAÑO

Juego es: mas bien sabe usté
que tiene vueltas el juego.

CUADRO SEGUNDO

ESCENA III

(Salen DOÑA LEONOR y DOÑA ANA.)

DOÑA ANA

¿Cómo la noche has pasado,
Leonor?

DOÑA LEONOR

Decirte, Señora,
que no me lo preguntaras
quisiera.

DOÑA ANA

¿Por qué?

(Aparte.)

¡Ah penosa
atención, que me precisas
a agradar a quien me enoja!

DOÑA LEONOR

Porque si me lo preguntas,
es fuerza que te responda
que la pasé bien o mal,
y en cualquiera de estas cosas
encuentro un inconveniente;
pues mis penas y tus honras
están tan mal avenidas,
que si te respondo ahora
que mal, será grosería,
y que bien, será lisonja.

95

DOÑA ANA

Leonor, tu ingenio y tu cara
el uno a otro se malogra,
que quien es tan entendida
es lástima que sea hermosa.

DOÑA LEONOR

Como tú estás tan segura
de que aventajas a todas
las hermosuras, te muestras
fácilmente cariñosa
en alabarlas, porque
quien no compite, no estorba.

DOÑA ANA

Leonor, y de tus cuidados
¿cómo estás?

DOÑA LEONOR

       Como quien toca,
náufrago entre la borrasca
de las olas procelosas,
ya con la quilla el abismo,
y ya el cielo con la popa.

(Aparte.)

¿Cómo le preguntaré
—pero está el alma medrosa—
a qué vino anoche Carlos?
Mas ¿qué temo, si me ahoga
después de tantos tormentos,
de los celos la ponzoña?

DOÑA ANA

Leonor, ¿en qué te suspendes?

DOÑA LEONOR

Quisiera saber, perdona,
que pues ya mi amor te dije,
fuera cautela notoria
querer no mostrar cuidado
de aquello que tú no ignoras
que es preciso que le tenga;
y así, pregunto, Señora,
pues sabes ya que yo quiero
a Carlos y que su esposa
soy: ¿cómo entró anoche aquí?

DOÑA ANA

Deja que no te responda
a esa pregunta tan presto.

DOÑA LEONOR

¿Por qué?

DOÑA ANA

Porque quiero ahora
que te diviertas oyendo
cantar.

DOÑA LEONOR

Mejor mis congojas
se diviertieran sabiendo
esto, que es lo que me importa;
y así. . .

DOÑA ANA

Con decirte que
fue una contingencia sola,
te respondo; mas mi hermano
viene.

DOÑA LEONOR

Pues que yo me esconda
será preciso.

DOÑA ANA

Antes no,
que ya yo de tu persona
le di cuenta, porque pueda
aliviarte en tus congojas;
que al fin los hombres mejor
diligencian estas cosas,
que nosotras.

DOÑA LEONOR

Dices bien;
mas no sé qué me alborota.

ESCENA IV

(Sale DON PEDRO.)

Mas ¡Cielos! ¿qué es lo que miro?
¿Este es tu hermano, Señora?

DON PEDRO

Yo soy, hermosa Leonor;
¿qué os admira?

DOÑA LEONOR

(Aparte.)

               ¡Ay de mí! Toda
soy de mármol. ¡Ah, Fortuna,
que así mis males dispongas,
que a la casa de Don Pedro
me traigas!

DON PEDRO

Leonor hermosa,
segura estáis en mi casa;
porque aunque sea a la costa
de mil vidas, de mil almas,
sabré librar vuestra honra
del riesgo que os amenaza.

DOÑA LEONOR

Vuestra atención generosa
estimo, Señor Don Pedro.

DON PEDRO

Señora, ya que las olas
de vuestra airada fortuna
en esta playa os arrojan,
no habéis de decir que en ella
os falta quien os socorra.

Yo, Señora, he sido vuestro,
y aunque siempre desdeñosa
me habéis tratado, el desdén
más mi fineza acrisola,
que es muy garboso desaire
el ser fino a toda costa.
Ya en mi casa estáis, y así
sólo tratamos ahora
de agradaros y serviros,
pues sois dueña de ella toda.

— Divierte a Leonor, hermana.

DOÑA ANA

Celia.

CELIA

¿Qué mandas, Señora?

DOÑA ANA

Dí a Clori y Laura que canten.

(Aparte:

Y tú, pues ya será hora
de lo que tengo dispuesto
porque mi industria engañosa
se logre, saca a Don Carlos
a aquesa reja, de forma
que nos mire y que no todo
lo que conferimos oiga.
De este modo lograré
el que la pasión celosa
empie a entrar en su pecho;
que aunque los celos blasonan
de que avivan el amor,
es su operación muy otra
en quien se ve como dama,
o se mira como esposa,
pues en la esposa despecha
lo que en la dama enamora.)

— ¿No vas a decir que canten?

CELIA

Voy a decir ambas cosas.

DON PEDRO

Mas con todo, Leonor bella,
dadme licencia que rompa
las leyes de mi silencio
con mis quejas amorosas,
que no siente los cordeles
que el dolor no pregona.

¿Qué defecto en mi amor visteis
que siempre tan desdeñosa
me tratasteis? ¿Era ofensa
mi adoración decorosa?
Y si amaros fue delito,

¿cómo otro la dicha goza,
e igualándonos la culpa
la pena no nos conforma?
¿Cómo, si es ley el desdén
en vuestra beldad, forzosa,
en mí la ley se ejecuta
y en el otro se deroga?
¿Qué tuvo para con vos
su pasión de más airosa,
de más bien vista su pena,
que siendo una misma cosa,
en mí os pareció culpable
y en el otro meritoria?
Si él os pareció más digno
¿no supliera en mi persona
lo que de galán me falta
lo que de amante me sobra?
Mas sin duda mi fineza
es quien el premio me estorba,
que es quien la merece menos
quien siempre la dicha logra;
mas si yo os he de adorar
eternamente, ¿qué importa
que vos me neguéis el premio,
pues es fuerza que conozca
que me concedéis de fino
lo que os negáis de piadosa?

DOÑA LEONOR

Permitid, Señor Don Pedro,
ya que me hacéis tantas honras,
que os suplique, por quien sois,
me hagáis la mayor de todas;
y sea que ya que veis
que la fortuna me postra
no apuréis más mi dolor,
pues me basta a mí por soga
el cordel de mi vergüenza
y el peso de mis congojas.

Y puesto que en el estado
que veis que tienen mis cosas,
tratarme de vuestro amor
es una acción tan impropia,
que ni es bien decirlo vos,
ni justo que yo lo oiga,
os suplico que calléis;
y si es venganza que toma
vuestro amor de mi desdén,
elegidla de otra forma,
que para que estéis vengado
hay en mí penas que sobran.

(Hablan aparte, y salen a una reja DON CARLOS, CELIA y CAS-
TAÑO.)

ESCENA V

CELIA

Hasta aquí podéis salir,
que aunque mandó mi Señora
que os retirarais, yo quiero
haceros esta lisonja
de que desde aquesta reja
oigáis una primorosa
música, que a cierta dama,
a quien mi Señor adora,
ha dispuesto. Aquí os quedad.

CASTAÑO

Oiga usted.

CELIA

No puedo ahora.

(Vase y sale por el otro lado.)

CASTAÑO

Fuese y cerrónos la puerta
y dejónos como monjas
en reja, y sólos nos falta
una escucha que nos oiga.

(Llega y mira.)

Pero, Señor, ¡vive Dios!
que es cosa muy pegajosa
tu locura, pues a mí
se me ha pegado.

DON CARLOS

¿En qué forma?

CASTAÑO

En que escucho los cencerros,
y aun los cuernos se me antojan
de los bueyes que perdimos.

(Llega DON CARLOS.)

DON CARLOS

¡Qué miro! ¡Amor me socorra!
¡Leonor, Doña Ana y Don Pedro
son! ¿Ves cómo no fue cosa
de ilusión el que aquí estaba?

CASTAÑO

¿Y de que esté no te enojas?

DON CARLOS

No, hasta saber cómo vino;
que si yo en la casa propia
estoy, sin estar culpado,
¿cómo quieres que suponga
culpa en Leonor? Antes juzgo
que la fortuna piadosa
la condujo adonde estoy.

CASTAÑO

Muy reposado enamoras,
pues no sueles ser tan cuerdo;
mas ¿si hallando golpe en bola
la ocasión, el tal Don Pedro
la cogiese por la cola,
estaríamos muy buenos?

DON CARLOS

Calla, Castaño, la boca,
que es muy bajo quien sin causa,
de la dama a quien adora,
se da a entender que le ofende,
pues en su aprensión celosa
¿qué mucho que ella le agravie
cuando él a sí se deshonra?
Mas escucha, que ya templan.

DOÑA ANA

Cantad, pues.

CELIA

Vaya de solfa.

MÚSICA

¿Cuál es la pena más grave
que en las penas de amor cabe?

VOZ I

El carecer del favor
será la pena mayor,
puesto que es el mayor mal.

CORO I

No es tal.

VOZ I

Sí es tal.

CORO II

¿Pues cuál es?

VOZ II

Son los desvelos
a que ocasionan los celos,
que es un dolor sin igual.

CORO II

No es tal.

VOZ II

Sí es tal.

CORO I

¿Pues cuál es?

VOZ III

Es la impaciencia
a que ocasiona la ausencia,
que es un letargo mortal.

CORO I

No es tal.

VOZ III

Sí es tal.

CORO II

¿Pues cuál es?

VOZ IV

Es el cuidado
con que se goza lo amado,
que nunca es dicha cabal.

CORO II

No es tal.

VOZ IV

Sí es tal.

CORO I

¿Pues cuál es?

VOZ V

Mayor se infiere
no gozar a quien me quiere
cuando es el amor igual.

CORO I

No es tal.

VOZ V

Sí es tal.

CORO II

Tú, que ahora has respondido,
conozco que solo has sido
quien las penas de amor sabe.

CORO I

¿Cuál es la pena más grave
que en las penas de amor cabe?

DON PEDRO

Leonor, la razón primera
de las que han cantado aquí
es más fuerte para mí;
pues si bien se considera
es la pena más severa   *de hecho*
que puede dar el amor
la carencia del favor,
que es su término fatal.

DOÑA LEONOR

No es tal.

DON PEDRO

Sí es tal.

DOÑA ANA

Yo, hermano, de otra opinión
soy, pues si se llega a ver,
el mayor mal viene a ser
una celosa pasión;
pues fuera de la razón
de que del bien se carece,
con la envidia se padece
otra pena más mortal.

DOÑA LEONOR

No es tal.

DOÑA ANA

Sí es tal.

DOÑA LEONOR

Aunque se halla mi sentido
para nada, he imaginado
que el carecer de lo amado
en amor correspondido;

pues con juzgarse querido
cuando del bien se carece,
el ansia de gozar crece
y con ella crece el mal.

DOÑA ANA

No es tal.

DOÑA LEONOR

Sí es tal.

DON CARLOS

¡Ay, Castaño! Yo dijera
que de amor en los desvelos
son el mayor mal los celos,
si a tenerlos me atreviera;
mas pues quiere Amor que muera,
muera de sólo temerlos,
sin llegar a padecerlos,
pues éste es sobrado mal.

CASTAÑO

No es tal.

DON CARLOS

Sí es tal.

CASTAÑO

Señor, el mayor pesar
con que el amor nos baldona,
es querer una fregona — *mujer q lava*
y no tener qué la dar;   *platos probsurdmente*

pues si llego a enamorar
corrido y confuso quedo,
pues conseguirlo no puedo
por la falta de caudal.

MÚSICA

No es tal.

CASTAÑO

Sí es tal.

CELIA

El dolor más importuno
que da Amor en sus ensayos,
es tener doce lacayos
sin regalarme ninguno,
y tener perpetuo ayuno,
cuando estar harta debiera
esperando costurera
los alivios del dedal.

MÚSICA

No es tal.

CELIA

Sí es tal.

DOÑA ANA

Leonor, si no te divierte
la música, al jardín vamos,
quizá tu fatiga en él
se aliviará.

DOÑA LEONOR

                        ¿Qué descanso
puede tener la que sólo
tiene por alivio el llanto?

DON PEDRO

Vamos, divino imposible.

109

DOÑA ANA

(*Aparte a* CELIA.)

Haz, Celia, lo que he mandado,
que yo te mando un vestido
si se nos logra el engaño.

(*Vanse* DON PEDRO, DOÑA ANA *y* DOÑA LEONOR.)

ESCENA VI

CELIA

(*Aparte:*

Eso sí es mandar con modo;
aunque esto de "Yo te mando",
cuando los amos lo dicen,
no viene a hacer mucho al caso,
pues están siempre tan hechos
que si acaso mandan algo,
para dar luego se excusan
y dicen a los crïados
que lo que mandaron no
fue manda, sino mandato.

Pero vaya de tramoya;
yo llego y la puerta abro;
que puesto que ya Don Juan,
que era mi mayor cuidado,
con la llave que le di
estuvo tan avisado
que sin que yo le sacase
se salió paso entre paso
por la puerta del jardín,
y mi Señora ha tragado
que fue otra de las crïadas
quien le dio entrada en su cuarto,
gracias a mi hipocresía
y a unos juramentos falsos
que sobre el caso me eché
con tanto desembarazo,

que ella quedó tan segura
que ahora me ha encomendado
lo que allá dirá el enredo,
yo llego.)
      — ¿Señor Don Carlos?

DON CARLOS

¿Qué quieres, Celia? ¡Ay de mí!

CELIA

A ver si habeis escuchado
la música, vine.

DON CARLOS

      Sí,
y te estimo el agasajo.
Mas dime, Celia ¿a qué vino
aquella dama que ha estado
con Doña Ana y con Don Pedro?

CELIA

(A parte:

Ya picó el pez; largo el trapo.)

— Aquella dama, Señor. . .
Mas yo no puedo contarlo
si primero no me dais
la palabra de callarlo.

DON CARLOS

Yo te la doy. ¿A qué vino?

CELIA

Temo, Señor, que es pecado
descubrir vidas ajenas;
mas supuesto que tú has dado
en que lo quieres saber
y yo en que no he de contarlo,

111

vaya, mas sin que lo sepas;
y sabe que aquel milagro
de belleza, es una dama
a quien adora mi amo,
y anoche, yo no sé cómo
ni cómo no, entró en su cuarto.
El la enamora y regala;
con qué fin, yo no lo alcanzo,
ni yo en conciencia pudiera
afirmarte que ello es malo,
que puede ser que la quiera
para ser fraile descalzo.
Y perdona, que no puedo
decir lo que has preguntado,
que estas cosas mejor es
que las sepas de otros labios.

(*Vase* CELIA.)

ESCENA VII

DON CARLOS

Castaño, ¿no has oído aquesto?
Cierta es mi muerte y mi agravio.

CASTAÑO

Pues si ella no nos lo ha dicho,
¿cómo puedo yo afirmarlo?

DON CARLOS

¡Cielos! ¿qué es esto que escucho?
¿Es ilusión, es encanto
lo que ha pasado por mí?
¿Quién soy yo? ¿Dónde me hallo?
¿No soy yo quien de Leonor
la beldad idolatrando,
la solicité tan fino,
la serví tan recatado,

que en premio de mis finezas
conseguí favores tantos;
y, por último, seguro
de alcanzar su blanca mano
y de ser solo el dichoso
entre tantos desdichados,
no salió anoche conmigo,
su casa y padre dejando,
reduciendo a mí la dicha
que solicitaban tantos?
¿No la llevó la Justicia?
Pues ¿cómo ¡ay de mí! la hallo
tan sosegada en la casa
de Don Pedro de Arellano,
que amante la solicita?
Y yo. . . Mas ¿cómo no abraso
antes mis agravios, que
pronunciar yo mis agravios?
Mas Cielos, ¿Leonor no pudo
venir por algún acaso
a esta casa, sin tener
culpa de lo que ha pasado,
pues prevenirlo no pudo?
Y que Don Pedro, llevado
de la ocasión de tener
en su poder el milagro
de la perfección, pretenda
como mozo y alentado,
lograr la ocasión felice
que la fortuna le ha dado,
sin que Leonor corresponda
a sus intentos osados?
Bien puede ser que así sea;
¿mas cumplo yo con lo honrado,
consintiendo que a mi dama
la festeje mi contrario
y que con tanto lugar
como tenerla a su lado,
la enamore y solicite,
y que haya de ser tan bajo

yo que lo mire y lo sepa
y no intente remediarlo?
Eso no, ¡viven los Cielos!
Sígueme, vamos, Castaño,
y saquemos a Leonor
a pesar de todos cuantos
lo quisieren defender.

CASTAÑO

Señor, ¿estás dado al diablo?
¿No ves que hay en esta casa
una tropa de lacayos,
que sin que nadie lo sepa
nos darán un sepancuantos,
y andarán descomedidos
por andar muy bien criados?

DON CARLOS

Cobarde, ¿aqueso me dices?
Aunque vibre el cielo rayos,
aunque iras el cielo esgrima
y el abismo aborte espantos,
me la tengo de llevar.

CASTAÑO

¡Ahora, sus! Si ha de ser, vamos;
y luego de aquí a la horca,
que será el segundo paso.

CUADRO TERCERO

ESCENA VIII

(Salen DON RODRIGO y DON JUAN.)

DON RODRIGO

Don Juan, pues vos sois su amigo,
reducidle a la razón,

pues por aquesta ocasión
os quise traer conmigo;
que pues vos sois el testigo
del daño que me causó
cuando a Leonor me llevó,
podréis con desembarazo
hablar en aqueste caso
con más llaneza que yo.

Ya de todo os he informado,
y en un caso tan severo
siempre lo trata el tercero
mejor que no el agraviado.
Que al que es noble y nació honrado,
cuando se le representa
la afrenta, por más que sienta,
le impide, aunque ése es el medio,
la vergüenza del remedio
el remedio de la afrenta.

DON JUAN

Señor Don Rodrigo, yo,
por la ley de caballero,
os prometo reducir
a vuestro gusto a Don Pedro,
a que él juzgo que está llano,
porque tampoco no quiero
vender por fineza mía
a lo que es mérito vuestro.
Y pues, porque no se niegue
no le avisamos, entremos
a la sala. . .

(Aparte.)

Mas ¿qué miro?
¿Aquí Don Carlos de Olmedo,
con quien anoche reñí?
¡Ah ingrata Doña Ana! ¡Ah fiero basilisco!

ESCENA IX

(Sale CELIA.)

CELIA

¡Jesucristo!
Don Juan de Vargas y un viejo,
Señor, y te han visto ya.

DON CARLOS

No importa, que nada temo.

DON RODRIGO

Aquí Don Carlos está,
y para lo que traemos
que tratar, grande embarazo
será.

CASTAÑO

Señor, reza el credo,
porque éstos pienso que vienen
para darnos pan de perro;
pues sin duda que ya saben
que fuiste quien a Don Diego
hirió y se llevó a Leonor.

DON CARLOS

No importa, ya estoy resuelto
a cuanto me sucediere.

DON RODRIGO

Mejor es llegar; yo llego.
—Don Carlos: Don Juan yo
cierto negocio traemos
que precisamente ahora
se ha de tratar a Don Pedro;

y así, si no es embarazo
a lo que venís, os ruego
nos deis lugar, perdonando
el estorbo, que los viejos
con los mozos, y más cuando
son tan bizarros y atentos
como vos, esta licencia
nos tomamos.

DON CARLOS

(Aparte.)

¡Vive el Cielo!,
que aún ignora Don Rodrigo
que soy de su agravio el dueño.

DON JUAN

(Aparte.)

No sé ¡vive el Cielo! cómo
viendo a Don Carlos, contengo
la cólera que me incita.

CELIA

(Aparte a DON CARLOS.)

Don Carlos, pues el empeño
miráis en que está mi ama
si llega su hermano a veros,
que os escondáis os suplico.

DON CARLOS

(Aparte.)

Tiene razón, ¡vive el Cielo!
que si aquí me ve su hermano,
la vida a Doña Ana arriesgo,
y habiéndome ella amparado
es infamia; mas ¿qué puedo
hacer yo en aqueste caso?

Ello no hay otro remedio:
ocúlteme, que el honor
de Doña Ana es lo primero,
y después saldré a vengar
mis agravios y mis celos.

CELIA

(Aparte a DON CARLOS.)

¡Señor, por Dios, que te escondas
antes que salga Don Pedro!

DON CARLOS

Señor Don Rodrigo, yo
estoy — perdonad si os tengo
vergüenza, que vuestras canas
dignas son de este respeto —
sin que Don Pedro lo sepa,
en su casa; y así, os ruego
que me dejéis ocultar
antes que él salga, que el riesgo
que un honor puede correr
me obliga.

DON JUAN

(Aparte.)

¡Que esto consiento!
¿Qué más claro ha de decir
que aquel basilisco fiero
de Doña Ana aquí la trae?
¡Oh, pese a mi sufrimiento
que no le quito la vida!
Pero ajustar el empeño
es antes, de Don Rodrigo,
pues le di palabra de ello;
que después yo volveré,
puesto que la llave tengo
del jardín, y tomaré
la venganza que deseo.

DON RODRIGO

Don Carlos, nada me admira:
mozo he sido, aunque soy viejo;
vos sois mozo, y es preciso
que deis sus frutos al tiempo;
y supuesto que decís
que os es preciso esconderos,
haced vos lo que os convenga,
que yo la causa no inquiero
de cosas que no me tocan.

DON CARLOS

Pues adiós.

DON RODRIGO

Guárdeos el Cielo.

CELIA

¡Vamos aprisa!

(Aparte:

A Dios gracias
que se ha excusado este aprieto.)

—Y vos, Señor, esperad
mientras aviso a mi dueño

(Aparte.)

Un Etna llevo en el alma.

DON JUAN

(Aparte.)

Un Volcán queda en el pecho.

(Vanse DON CARLOS, CELIA y CASTAÑO.)

119

ESCENA X

DON RODRIGO

Veis aquí cómo es el mundo:
a mí me agravia Don Pedro,
y no faltara un tercero
también que agravie a Don Carlos.
Y es que lo permite el Cielo
en castigo de las culpas,
y dispone que paguemos
con males que recibimos
los males que habemos hecho.

DON JUAN

(Aparte.)

Estoy tan fuera de mí
de haber visto manifiesto
mi agravio, que no sé cómo
he de sosegar el pecho
para hablar en el negocio
de que he de ser medianero,
que quien ignora los suyos
mal hablará en los ajenos.

(Sale DON CARLOS *a la reja.)*

DON CARLOS

Ya que fue fuerza ocultarme
por el debido respeto
de Doña Ana, como a quien
el amparo y vida debo,
desde aquí quiero escuchar,
pues sin ser yo visto puedo,
a qué vino Don Rodrigo,
que entre mil dudas el pecho,
astrólogo de mis males,
me pronostica los riesgos.

ESCENA XI

(Sale DON PEDRO.)

DON PEDRO

Señor Don Rodrigo, ¿vos
en mi casa? Mucho debo
a la ocasión que aquí os trae,
pues que por ella merezco
que vos me hagáis tantas honras.

DON RODRIGO

Yo las recibo, Don Pedro,
de vos, y ved si es verdad,
pues a vuestra casa vengo
por la honra que me falta.

DON PEDRO

Don Juan amigo, no es nuevo
el que vos honréis mi casa.

— Tomad entrambos asiento
y decid, ¿cómo venís?

DON JUAN

Yo vengo al servicio vuestro,
y pues a lo que venimos
dilación no admite, empiezo.
Don Pedro, vos no ignoráis
como tan gran caballero,
las muchas obligaciones
que tenéis de parecerlos;
esto supuesto, el Señor
Don Rodrigo tiene un duelo
con vos.

DON PEDRO

¿Conmigo, Don Juan?
Holgárame de saberlo.

(Aparte.)

¡Válgame Dios! ¿qué será?

DON RODRIGO

Don Pedro, ved que no es tiempo
éste de haceros de nuevas,
y si acaso decís eso
por la cortés atención
que debéis a mi respeto,
yo estimo la cortesía,
y en la atención os dispenso.

Vos, amante de Leonor,
la solicitasteis ciego,
pudiendo haberos valido
de mí, y con indignos medios
la sacasteis de mi casa,
cosa que... Pero no quiero
reñir ahora el delito
que ya no tiene remedio;
que cuando os busco piadoso
no es bien reñiros severo,
y como lo más se enmiende,
yo os perdonaré lo menos.

Supuesto estoy, ya sabéis
vos que no hay sangre en Toledo
que pueda exceder la mía;
y siendo esto todo cierto,
¿qué dificultad podéis
hallar para ser mi yerno?
Y si es falta el estar pobre
y vos rico, fuera bueno
responder eso, si yo
os tratara el casamiento
con Leonor; mas pues vos fuisteis
el que la eligió primero,

y os pusisteis en estado
que ha de ser preciso hacerlo,
no he tenido yo la culpa
de lo que fue arrojo vuestro.
Yo sé que está en vuestra casa,
y sabiéndolo, no puedo
sufrir que esté en ella, sin que
le deis de esposo al momento
la mano.

DON PEDRO

(Aparte.)

¡Válgame Dios!

¿Qué puedo en tan grande empeño
responde a Don Rodrigo?
Pues si que la tengo niego,
es fácil que él lo averigüe,
y si la verdad confieso
de que la sacó Don Carlos,
se la dará a él y yo pierdo,
si pierdo a Leonor, la vida.
Pues si el casarme concedo,
puede ser que me desaire
Leonor. ¡Quién hallara un medio
con que poder dilatarlo!

DON JUAN

¿De qué, amigo, estáis suspenso,
cuando la proposición
resulta en decoro vuestro;
cuando el Señor Don Rodrigo
tan reportado y tan cuerdo,
os convida con la dicha
de haceros felice dueño
de la beldad de Leonor?

123

DON PEDRO

Lo primero que protesto,
Señor Don Rodrigo, es que
tanto la beldad venero
de Leonor, que puesto que
sabéis ya mis galanteos,
quiero que estéis persuadido
que nunca pudo mi pecho
mirarla con otros ojos,
ni hablarla con otro intento
que el de ser feliz con ser
su esposo. Y esto supuesto
sabed que Leonor anoche
supo (aun a fingir no acierto)
que estaba mala mi hermana,
a quien con cariño tierno
estima, y vino a mi casa
a verla sólo, creyendo
que vos os tardaríais más
con la diversión del juego.
Hízose algo tarde, y como
temió el que hubieseis ya vuelto,
como sin licencia vino,
despachamos a saberlo
un criado de los míos,
y aquéste volvió diciendo
que ya estabais vos en casa,
y que habíais echado menos
a Leonor, por cuya causa
haciendo justos extremos,
la buscabais ofendido.
Ella, temerosa, oyendo
aqueto, volver no quiso.
Este es en suma el suceso:
que ni yo saqué a Leonor,
ni pudiera, pretendiendo
para esposa su beldad,
proceder tan desatento
que para mirarme en él
manchara antes el espejo.

Y para que no juzguéis
que ésta es excusa que invento
por no venir en casarme,
mi fe y palabra os empeño
de ser su esposo al instante
como Leonor venga en ello;
y en esto conoceréis
que no tengo impedimento
para dejar de se suyo
más de que no la merezco.

DON CARLOS

¿No escuchas esto, Castaño?
¡La vida y el juicio pierdo!

CASTAÑO

La vida es la novedad;
que lo del juicio, no es nuevo.

DON RODRIGO

Don Pedro, a lo que habéis dicho
hacer réplica no quiero,
sobre si pudo o no ser,
como decís, el suceso;
pero siéndole ya a todos
notorios vuestros festejos,
sabiendo que Leonor falta
y yo la busco, y sabiendo
que en vuestra casa la hallé,
nunca queda satisfecho
mi honor, si vos no os casáis;

y en lo que me habéis propuesto
que si Leonor querrá o no,
eso no es impedimento,
pues ella tener no puede
más gusto que mi precepto;
y así llamadla y veréis
cuán presto lo ajusto.

DON PEDRO

Temo,
Señor, que Leonor se asuste,
y así os suplico deis tiempo
de que antes se lo proponga
mi hermana, porque supuesto
que yo estoy llano a casarme,
y que por dicha lo tengo,
¿qué importa que se difiera
de aquí a mañana, que es tiempo
en que les puedo avisar
a mis amigos y deudos
porque asistan a mis bodas,
y también porque llevemos
a Leonor a vuestra casa,
donde se haga el casamiento?

DON RODRIGO

Bien decís; pero sabed
que ya quedamos en eso,
y que es Leonor vuestra esposa

DON PEDRO

Dicha mía es el saberlo.

DON RODRIGO

Pues, hijo, adiós; que también
hacer de mi parte quiero
las prevenciones.

DON PEDRO

Señor,
vamos; os iré sirviendo.

DON RODRIGO

No ha de ser; y así, quedaos,
que habéis menester el tiempo.

DON PEDRO

Yo tengo de acompañaros.

DON RODRIGO

No haréis tal.

DON PEDRO

Pues ya obedezco.

DON JUAN

Don Pedro, quedad con Dios.

DON PEDRO

Id con Dios, Don Juan.

(Vanse DON RODRIGO *y* DON JUAN.)

                    Yo quedo
tan confuso, que no sé
si es pesar o si es contento,
si es fortuna o es desaire
lo que me está sucediendo.
Don Rodrigo con Leonor
me ruega, yo a Leonor tengo;
el caso está en tal estado
que yo excusarme no puedo
de casarme; solamente
es a Leonor a quien temor,
no sea que lo resista;
mas puede ser que ella, viendo
el estado de las cosas
y el de su padre el precepto,
venga en ser mía. Yo voy.
¡Amor, ablanda su pecho!

(Vase.)

ESCENA XII

(*Salen* DON CARLOS y CASTAÑO.)

DON CARLOS

No debo de estar en mí,
Castaño, pues no estoy muerto.
Don Rodrigo ¡ay de mí! juzga
que a Leonor sacó Don Pedro
y se la viene a ofrecer;
y él, muy falso y placentero,
viene en casarse con ella,
sin ver el impedimento
de que se salió con otro.

CASTAÑO

¿Qué quieres? El tal sujeto
es marido convenible
y no repara en pucheros:
él vio volando esta garza
y quiso matarla al vuelo;
conque, si él ya la cazó,
ya para ti *volaverunt*.

DON CARLOS

Yo estoy tan sin mí, Castaño,
que aun a discurrir no acierto
lo que haré en aqueste caso.

CASTAÑO

Yo te daré un buen remedio
para que quedes vengado.
Doña Ana es rica, y yo pienso
que revienta por ser novia;
enamórala, y con eso
te vengas de cuatro y ocho;

que dejas a aqueste necio
mucho peor que endiablado,
encuñadado *in aeternum*.

DON CARLOS

¡Por cierto, gentil venganza!

CASTAÑO

¿Mal te parece el consejo?
Tú no debes de saber
lo que es un cuñado, un suegro,
una madrastra, una tía,
un escribano, un ventero,
una mula de alquiler,
y un albacea, que pienso
que del Infierno el mejor
y más bien cobrado censo
no llegan a su zapato.

DON CARLOS

¡Ay de mí, infeliz! ¿Qué puedo
hacer en aqueste caso?
¡Ay, Leonor, si yo te pierdo,
pierda la vida también!

CASTAÑO

No pierdas ni aun un cabello,
sino vamos a buscarla;
que en el tribunal supremo
de su gusto, quizá se
revocará este decreto.

DON CARLOS

¿Y si la fuerza su padre?

CASTAÑO

¿Qué es forzarla? ¿Pues el viejo
está ya para Tarquino?

Vamos a buscarla luego,
que como ella diga nones,
no hará pares con Don Pedro.

DON CARLOS

Bien dices, Castaño, vamos.

CASTAÑO

Vamos, y deja lamentos,
que se alarga la jornada
si aquí más nos detenemos.

LETRA POR "TIERNO, ADORADO ADONIS". . .

Tierno pimpollo hermoso,
que a pequeñez reduces
del prado los colores,
y del cielo las luces,

pues en tu rostro bello
unidos se confunden
de estrellas y de rosas
centellas y perfumes;

Cupido soberano,
a cuyas flechas dulces,
herido el viento silva,
flechado el viento cruje;

astro hermoso, que apenas
das la primera lumbre,
cuando en los pechos todos
dulce afición influyes;

bisagra que amorosa
dos corazones unes,
que siendo antes unión,
a identidad reduces;

oriente de arreboles,
porque Sol más ilustre
en tu rostro amanezca
que en el cielo madrugue;

hijo de Marte y Venus,
porque uno y otro numen,
te infunda éste lo fuerte,
te dé aquélla lo dulce;

bello Josef amado,
que dueño te introduces
en comunes afectos
de efectos no comunes;

Sol que naces, mudando
del otro la costumbre
en el Ocaso, porque
adonde él muere, triunfes:

la cortedad admite,
pues las solicitudes
que aspiran a tu obsequio,
no es razón que se frustren.

SAINETE SEGUNDO

INTERLOCUTORES

Muñiz, Arias, Acevedo y Compañeros

(Salen MUÑIZ *y* ARIAS.)

ARIAS

Mientras descansan nuestros camaradas
de andar las dos Jornadas
(que, vive Dios, que creo
que no fueran más largas de un correo;
pues si aquesta comedia se repite
juzgo que llegaremos a Cavite,
e iremos a un presidio condenados,
cuando han sido los versos los forzados),
aquí, Muñiz amigo, nos sentemos
y toda la comedia murmuremos.

MUÑIZ

Arias, vos os tenéis buen desenfado;
pues si estáis tan cansado
y yo me hallo molido, de manera
que ya por un tamiz pasar pudiera
(y esto no es embeleco,
pues sobre estar molido, estoy tan seco
de aquestas dos Jornadas, que he pensado
que en mula de alquiler he caminado),

¿no es mejor acostarnos
y de aquesos cuidados apartarnos?
Que yo, más al descanso me abalanzo.

ARIAS

¿Y el murmurar, amigo?, ¿Hay más descanso?
Por lo menos a mí, me hace provecho,
porque las pudriciones, que en el pecho
guardo como veneno,
salen cuando murmuro, y quedo bueno.

MUÑIZ

Decís bien. ¿Quién sería
el que al pobre de Deza engañaría
con aquesta comedia
tan larga y tan sin traza?

ARIAS

¿Aqueo, Don Andrés, os embaraza?
Diósela un estudiante
que en las comedias es tan principiante,
y en la Poesía tan mozo,
que le apuntan los versos como el bozo.

MUÑIZ

Pues yo quisiera, amigo, ser barbero
y raparle los versos por entero,
que versos tan barbados
es cierto que estuvieran bien, rapados.

¿No era mejor, amigo, en mi conciencia,
si quería hacer festejo a Su Excelencia,
escoger, sin congojas,
una de Calderón, Moreto o Rojas,
que en oyendo su nombre
no se topa, a fe mía,
silbo que diga: aquesta boca es mía?

ARIAS

¿No veis que por ser nueva
la echaron?

MUÑIZ

¡Gentil prueba
de su bondad!

ARIAS

Aquésa es mi mohina;
¿no era mejor hacer a *Celestina,*
en que vos estuvisteis tan gracioso,
que aun estoy temeroso
—y es justo que me asombre—
de que sois hechicera en traje de hombre?

MUÑIZ

Amigo, mejor era *Celestina*
en cuanto a ser comedia ultramarina:
que siempre las de España son mejores,
y para digerirles los humores,
son ligeras; que nunca son pesadas
las cosas que por agua están pasadas.

Pero la *Celestina* que esta risa
os causó, era mestiza
y acabada a retazos,
y si le faltó traza, tuvo trazos,
y con diverso genio
se formó de un trapiche y de un ingenio.
Y en fin, en su poesía
por lo bueno, lo malo se suplía;
pero aquí, ¡vive Cristo, que no puedo
sufrir los disparates de Acevedo!

ARIAS

¿Pues él es el autor?

MUÑIZ

Así se ha dicho,
que de su mal capricho
la comedia y sainetes han salido;
aunque es verdad que yo no puedo creello.

ARIAS

!Tal le dé dios la vida, como es ello!

MUÑIZ

Ahora bien, ¿qué remedio dar podremos
para que esta comedia no acabemos?

ARIAS

Mirad, ya yo he pensado
uno, que pienso que será acertado.

MUÑIZ

¿Cuál es?

ARIAS

Que nos finjamos
mosqueteros, y a silbos destruyamos
esta comedia, o esta patarata,
que con esto la fiesta se remata;
y como ellos están tan descuidados,
en oyendo los silbos, alterados
saldrán, y muy severos
les diremos que son los mosqueteros.

MUÑIZ

¡Braza traza, por Dios! Pero me ataja
que yo no sé silbar.

ARIAS

¡Gentil alhaja!
¿Qué dificultad tiene?

MUÑIZ

El punto es ése,
que yo no acierto a pronunciar la *ese*.

ARIAS

Pues mirad: yo, que así a silbar me allano,
que puedo en el Arcadia ser Silvano,
silbaré por entrambos; mas ¡atento,
que es este silbo a vuestro pedimento!

MUÑIZ

Bien habéis dicho. ¡Vaya!

ARIAS

¡Va con brío!

(Silba ARIAS.*)*

MUÑIZ

Cuenta, Señores, que este silbo es mío.

(Silban otros dentro.)

¡Cuerpo de Dios, que aquesto está muy frío!

ARIAS

Cuenta, Señores, que este silbo es mío.

(Silba.)

(Salen ACEVEDO *y los* COMPAÑEROS.*)*

ACEVEDO

¿Qué silbos son aquéstos tan atroces?

MUÑIZ

Aquesto es ¡*Cuántos silbos, cuántas voces!*

ACEVEDO

¡Que se atrevan a tal los mosqueteros!

ARIAS

Y aun a la misma Nava de Zuheros.

ACEVEDO

¡Ay, silbado de mí! ¡Ay desdichado!
¡Que la comedia que hice me han silbado!
¿Al primer tapón silbos? Muerto quedo.

ARIAS

No os muráis, Acevedo.

ACEVEDO

¡Allá a ahorcarme me meto!

MUÑIZ

Mirad que es el ahorcarse mucho aprieto.

ACEVEDO

Un cordel aparejo.

ARIAS

No os vais, que aquí os daremos cordelejo.

ACEVEDO

¡Dádmelo acá! Veréis cómo me ensogo,
que con eso saldré de tanto ahogo.

(Cantan sus coplas cada uno.)

MUÑIZ

Silbadito del alma,
no te me ahorques,
que los silbos se hicieron
para los hombres.

ACEVEDO

Silbadores del diablo,
morir dispongo;
que los silbos se hicieron
para los toros.

COMPAÑERO 1o.

Pues que ahorcarte quieres,
toma la soga,
que aqueste cordelejo
no es otra cosa.

ACEVEDO

No me silbéis, demonios,
que mi cabeza
no recibe los silbos
aunque está hueca.

ARIAS

¡Vaya de silbos, vaya!
Silbad, amigos;
que en lo hueco resuenan
muy bien los silbos.

(Silban todos.)

ACEVEDO

Gachupines parecen
recién venidos,
porque todo el teatro
se hunde a silbos.

MUÑIZ

¡Vaya de silbos, vaya!
Silbad, amigos,
que en lo hueco resuenan
muy bien los silbos.

COMPAÑERO 2o.

Y los malos poetas
tengan sabido,
que si vítores quieren,
éste es el vítor.

(Todos cantan.)

¡Vaya de silbos, vaya!
Silbad, amigos;
que en lo hueco resuenan
muy bien los silbos.

ACEVEDO

¡Baste ya, por Dios, baste;
no me den soga;
que yo les doy palabra
de no hacer otra!

MUÑIZ

No es aqueso bastante,
que es el delito
muy criminal, y pide
mayor castigo.

(Todos cantan.)

¡Vaya de silbos, vaya!
Silbad, amigos;
que en lo hueco resuenan
muy bien los silbos.

(Silban.)

ACEVEDO

Pues si aquesto no basta,
¿qué me disponen?
Que como no sean silbos,
denme garrote.

ARIAS

Pues de pena te sirva,
pues lo has pedido,
el que otra vez traslades
lo que has escrito.

ACEVEDO

Eso no, que es aquése
tan gran castigo,
que más quiero atronado
morir a silbos.

MUÑIZ

Pues lo ha pedido, ¡vaya;
silbad, amigos;
que en lo hueco resuenan
muy bien los silbos!

JORNADA TERCERA

CUADRO PRIMERO

ESCENA I

(Salen CELIA y DOÑA LEONOR.)

DOÑA LEONOR

Celia, yo me he de matar
si tú salir no me dejas
de esta casa, o de este encanto.

CELIA

Repórtate, Leonor bella,
y mira por tu opinión.

DOÑA LEONOR

¿Qué opinión quieres que tenga,
Celia, quien de oír acaba
unas tan infaustas nuevas,
como que quiere mi padre,
porque con engaño piensa
que Don Pedro me sacó,
que yo ¡ay Dios! su esposa sea?
Y esto cae sobre haber
antes díchome tú mesma
que Carlos ¡ah falso amante!
a Doña Ana galantea,
y que con ella pretende
casarse, que es quien pudiera,
como mi esposo, librarme
del rigor de esta violencia.
Conque estando en este estado
no les quedan a mis penas
ni asilo que las socorra,
ni amparo que las defienda.

CELIA

(Aparte:

Verdad es que se lo dije,
y a Don Carlos con la mesma
tramoya tengo confuso,
porque mi ama me orden
que yo despeche a Leonor
para que a su hermano quiera
y ella se quede con Carlos;
y yo viéndola resuelta,
por la manda del vestido
ando haciendo estas quimeras.)

— Pues, Señora, si conoces
que ingrato Carlos te deja,
y mi Señor te idolatra,

141

y que tu padre desea
hacerte su esposa, y que
está el caso de manera
que, si dejas de casarte,
pierdes honra y conveniencia,
¿no es mejor pensarlo bien
y resolverte discreta
a lograr aquesta boda,
que es lástima que se pierda?
Y hallarás, si lo ejecutas,
mas de tres mil congrüencias,
pues sueldas con esto solo
de tu crédito la quiebra,
obedeces a tu padre,
das gusto a tu parentela,
premias a quien te idolatra,
y de Don Carlos te vengas.

DOÑA LEONOR

¿Qué dices, Celia? Primero
que yo de Don Pedro sea,
verás de su eterno alcázar
fugitivas las estrellas;
primero romperá el mar
la no violada obediencia
que a sus desbocadas olas
impone freno de arena;
primero aquese fogoso
corazón de las Esferas
perturbará el orden con que
el cuerpo del orbe alienta;
primero, trocado el orden
que guarda Naturaleza,
congelará el fuego copos,
brotará el hielo centellas;
primero que yo de Carlos,
aunque ingrato me desprecia,

deje de ser, de mi vida
seré verdugo yo mesma;
primero que yo de amarle
deje. . .

CELIA

Los primeros deja
y vamos a lo segundo:
que pues estás tan resuelta,
no te quiero aconsejar
sino saber lo que intentas.

DOÑA LEONOR

Intento, amiga, que tú,
pues te he fiado mis penas,
me des lugar para irme
de aquí, porque cuando vuelva
mi padre, aquí no me halle
y me haga casar por fuerza;
que yo me iré desde aquí
a buscar en una celda
un rincón que me sepulte,
donde llorar mis tragedias
y donde sentir mis males
lo que de vida me resta,
que quizás allí escondida
no sabrá de mí, mi estrella.

CELIA

Sí, pero sabrá de mí
la mía, y por darte puerta,
vendrá a estrellarse conmigo
mi Señor cuando lo sepa,
y seré yo la estrellada,
por no ser tú la estrellera.

DOÑA LEONOR

Amiga, haz esto por mí
y seré tu esclava eterna,
por ser la primera cosa
que te pido.

CELIA

                    Aunque lo sea;
que a la primera que haga
pagaré con las setenas.

DOÑA LEONOR

¡Pues, vive el Cielo, enemiga,
que si salir no me dejas,
he de matarme y matarte!

CELIA

(Aparte:

¡Chipas, y qué rayos echa!
¿Mas qué fuera, Jesús mío,
que aquí conmigo embistiera?
¿Qué haré, Pues si no la dejo
ir, y a ser Señora llega
de casa, ¿quién duda que
le tengo de pagar ésta?;
y si la dejo salir,
con mi amo habrá la mesma
dificultad. Ahora bien,
mejor es entretenerla,
y avisar a mi Señor
de lo que su dama intenta;
que sabiéndolo, es preciso
que salga él a detenerla,

y yo quedo bien con ambos,
pues con esta estratagema
ella no queda ofendida
y él obligado me queda.)

—Señora, si has dado en eso,
y en hacerlo tan resuelta
estás, vé a ponerte el manto,
que yo guardaré la puerta.

DOÑA LEONOR

La vida, Celia, me has dado.

CELIA

Soy de corazón muy tierna,
y no puedo ver llorar
sin hacerme una manteca.

DOÑA LEONOR

A ponerme el manto voy.

CELIA

Anda, pues, y ven apriesa,
que te espero.

(Vase DOÑA LEONOR.)

No haré tal,
sino cerraré la puerta,
e iré a avisar a Marsilio
que se le va Melisendra.

(Vase.)

ESCENA II

(*Sale* DON JUAN.)

DON JUAN

Con la llave del jardín,
que dejó en mi poder Celia
para ir a lograr mis dichas,
quiero averiguar mis penas.
¡Qué mal dije averiguar,
pues a la que es evidencia
no se puede llamar duda!
Pluguiera a Dios estuvieran
mis celos y mis agravios
en estado de sospechas.
Mas ¿cómo me atrevo, cuando
es contra mi honor mi ofensa,
sin ser cierta mi venganza
a hacer mi deshonra cierta?
Si sólo basta a ofenderme
la presunción, ¿cómo piensa
mi honor, que puede en mi agravio
la duda ser evidencia,
cuando la evidencia misma
del agravio en la nobleza,
siendo certidumbre falsa
se hace duda verdadera?
Que como al honor le agravia
solamente la sospecha,
hará cierta su deshonra
quien la verdad juzga incierta.
Pues si es así, ¿cómo yo
imagino que hay quien pueda
ofenderme, si aun en duda
no consiento que me ofendan?

Aquí oculto esperaré
a que mi contrario venga;
que ¿quién, del estado en que
está su correspondencia,

duda que vendrá de noche
quien de día sale y entra?
Yo quiero entrar a esperarlo.
¡Honor, mi venganza alienta!

(Vase.)

ESCENA III

(Sale DON CARLOS, *y* CASTAÑO *con un envoltorio.)*

DON CARLOS

Por más que he andado la casa
no he podido dar con ella
y vengo desesperado.

CASTAÑO

Pues, Señor, ¿de ver no echas
que están las puertas cerradas
que a esotro cuarto atraviesan,
por el temor de Doña Ana
de que su hermano te vea,
o porque a Leonor no atisbes;
y para haceros por fuerza
casar, Doña Ana y su hermano
nos han cerrado entre puertas?

DON CARLOS

Castaño, yo estoy resuelto
a que Don Rodrigo sepa
que soy quien sacó a su hija
y quien ser su esposo espera;
que pues por pensar que fue
Don Pedro, dársela intenta,
también me la dará a mí
cuando la verdad entienda
de que fui quien la robó.

147

CASTAÑO

Famosamente lo piensas;
pero ¿cómo has de salir
si Doña Ana es centinela
que no se duerme en las pajas?

DON CARLOS

Fácil, Castaño, me fuera
el salir contra su gusto,
que no estoy yo de manera
que tengan lugar de ser
tan comedidas mis penas.
Sólo lo que me embaraza
y a mi valor desalienta,
es el irme de su casa
dejando a Leonor en ella,
donde cualquier novedad
puede importar mi presencia;
y así, he pensado que tú
salgas (pues aunque te vean,
hará ninguno el reparo
en ti que en mí hacer pudieran),
y este papel que ya escrito
traigo, con que le doy cuenta
a Don Rodrigo de todo,
le lleves.

CASTAÑO

¡Ay, Santa Tecla!
¿Pues cómo quieres que vaya,
y ves aquí que me pesca
en la calle la Justicia
por cómplice en la tormenta
de la herida de Don Diego,
y aunque tú el agresor seas,
porque te ayudé al rüido
pago *in solidum* la ofensa?

DON CARLOS

Éste es mi gusto, Castaño.

CASTAÑO

Sí, mas no es mi conveniencia.

DON CARLOS

¡Vive el Cielo, que has de ir!

CASTAÑO

Señor ¿y es muy buena cuenta,
por cumplir el juramento
de que él viva, que yo muera?

DON CARLOS

¿Ahora burlas, Castaño?

CASTAÑO

Antes ahora son veras.

DON CARLOS

¿Qué es esto, infame; tú tratas
de apurarme la paciencia?
¡Vive Dios, que has de ir o aquí
te he de matar!

CASTAÑO

       Señor, suelta;
que eso es muy ejecutivo,
y en esotro hay contingencia;
dame el papel, que yo iré.

DON CARLOS .

Tómalo y mira que vuelvas
aprisa, por el cuidado
en que estoy.

CASTAÑO

Dame licencia,
Señor, de contarte un cuento
que viene aquí como piedra
en el ojo de un vicario
(que deben de ser canteras):

Salió un hombre a torear,
y a otro un caballo pidió,
el cual, aunque lo sintió,
no se lo pudo negar.

Salió, y el dueño al mirallo,
no pudiéndolo sufrir,
le envió un recado a decir
que le cuidase el caballo,

porque valía un tesoro,
y el otro muy sosegado
respondió: "Aquese recado
no viene a mí, sino al toro."

Tú eres así ahora que
me remites a un paseo
donde, aunque yo lo deseo,
no sé yo si volveré.

Y lo que me causa risa,
aun estando tan penoso,
es que, siendo tan dudoso,
me mandes que venga aprisa.

Y así, yo ahora te digo
como el otro toreador,
que ese recado, Señor,
lo envíes a Don Rodrigo.

(Sale CELIA.*)*

CELIA

Señor Don Carlos, mi ama
os suplica vais a verla
al jardín luego al instante,

que tiene cierta materia
que tratar con voz, que importa.

DON CARLOS

Decid que ya a obedecerla
voy.

(A CASTAÑO.*)*

Haz tú lo que he mandado.

(Vanse DON CARLOS *y* CELIA.*)*

ESCENA IV

CASTAÑO

Yo bien no hacerlo quisiera,
si me valiera contigo
el hacer yo la deshecha.

¡Válgame Dios! ¿Con qué traza
yo a Don Rodrigo le diera
aqueste papel, sin que él
ni alguno me conociera?
¡Quién fuera aquí Garatuza,
de quien en las Indias cuentan
que hacía muchos prodigios!
Que yo, como nací en ellas,
le he sido siempre devoto
como a santo de mi tierra.

¡Oh tú, cualquiera que has sido;
oh tú, cualquiera que seas,
bien esgrimas abanico,
o bien arrastres contera,
inspírame alguna traza
que de Calderón parezca,
con que salir de este empeño!

Pero tate, en mi conciencia,
que ya he topado el enredo:

151

Leonor me dio unas polleras
y unas joyas que trajese,
cuando quiso ser Elena
de este Paris boquirrubio,
y las tengo aquí bien cerca,
que me han servido de cama;
pues si yo me visto de ellas,
¿habrá en Toledo tapada
que a mi garbo se parezca?
Pues ahora bien, yo las saco;
vayan estos trapos fuera.

(Quítase capa, espada y sombrero.)

Lo primero, aprisionar
me conviene la melena,
por que quitará mil vidas
si le doy tantica suelta.
Con este paño pretendo
abrigarme la mollera;
si como quiero lo pongo,
será gloria ver mi pena.
Ahora entran las basquiñas.
¡Jesús, y qué rica tela!
No hay duda que me esté bien,
porque como soy morena
me está del cielo lo azul.
¿Y esto qué es? Joyas son éstas;
no me las quiero poner,
que ahora voy de revuelta.
Un serenero he topado
en aquesta faltriquera;
también me lo he de plantar.
¿Cabráme esta pechuguera?
El solimán me hace falta;
pluguiese a Dios y le hubiera,
que una manica de gato
sin duda me la pusiera;
pero no, que es un ingrato,
y luego en cara me diera.
La color no me hace al caso,

que en este empeño, de fuerza
me han de salir mil colores,
por ser dama de vergüenza.

—¿Qué les parece, Señoras,
este encaje de ballena?
Ni puesta con sacristanes
pudiera estar más bien puesta.
Es cierto que estoy hermosa.
¡Dios me guarde, que estoy bella!
Cualquier cosa me está bien,
porque el molde es rara pieza.
Quiero acabar de aliñarme,
que aún no estoy dama perfecta.
Los guantes; aquesto sí,
porque las manos no vean,
que han de ser la de Jacob
con que a Esaú me parezca.
El manto lo vale todo,
échomelo en la cabeza.
¡Válgame Dios! cuánto encubre
esta telilla de seda,
que ni hay foso que así guarde,
ni muro que así defienda,
ni ladrón que tanto encubra,
ni paje que tanto mienta,
ni gitano que así engañe,
ni logrero que así venda.
Un trasunto el abanillo
es de mi garbo y belleza,
pero si me da tanto aire,
¿qué mucho a mí se parezca?

Dama habrá en el auditorio
que diga a su compañera:
"Mariquita, aqueste bobo
al Tapado representa."
Pues atención, mis Señoras,
que es paso de la comedia;
no piensen que son embustes
fraguados acá en mi idea,

153

que yo no quiero engañarlas,
ni menos a Vuexcelencia.

Ya estoy armado, y ¿quién duda
que en el punto que me vean
me sigan cuatro mil lindos
de aquestos que galantean
a salga lo que saliere,
y que a bulto se amartelan,
no de la belleza que es,
sino de la que ellos piensan?
Vaya, pues, de damería:
menudo el paso, derecha
la estatura, airoso el brío;
inclinada la cabeza,
un si es no es, al un lado;
la mano en el manto envuelta;
con el un ojo recluso
y con el otro de fuera;
y vamos ya, que encerrada
se malogra mi belleza.
Temor llevo de que alguno
me enamore.

(Va a salir y encuentra a DON PEDRO.)

ESCENA V

DON PEDRO

Leonor bella,
¿vos con manto y a estas horas?

(Aparte:

 ¡Oh qué bien me dijo Celia
de que irse a un convento quiere!)

—¿Adónde vais con tal priesa?

CASTAÑO

(Aparte.)

¡Vive Dios! que por Leonor
me tiene; yo la he hecho buena
si él me quiere descubrir.

DON PEDRO

¿De qué estás, Leonor, suspensa?
¿Adónde vas, Leonor mía?

CASTAÑO

(Aparte.)

¡Oiga lo que Leonorea!
Mas pues por Leonor me marca,
yo quiero fingir ser ella,
que quizá atiplando el habla
no me entenderá la letra.

DON PEDRO

¿Por qué no me habláis, Señora?
¿Aun no os merece respuesta
mi amor? ¿Por qué de mi casa
os queréis ir? ¿Es ofensa
el adoraros tan fino,
el amaros tan de veras
que, sabiendo que a otro amáis,
está mi atención tan cierta
de vuestras obligaciones,
vuestro honor y vuestras prendas,
que a casarme determino
sin que ningún riesgo tema?
Que en vuestra capacidad
bien sé que tendrá más fuerza,
para mirar por vos misma,
la obligación, que la estrella.

¿Es posible que no os mueve
mi afecto ni mi nobleza,
mi hacienda ni mi persona,
a verme menos severa?
¿Tan indigno soy, Señora?
Y, doy caso que lo sea,
¿no me darán algún garbo
la gala de mis finezas?
¿No es mejor para marido,
si lo consideráis cuerda,
quien no galán os adora
que quien galán os desprecia?

CASTAÑO

(Aparte:

¡Gran cosa es el ser rogadas!
Ya no me admiro que sean
tan soberbias las mujeres,
porque no hay que ensoberbezca
cosa, como el ser rogadas.
Ahora bien, de vuelta y media
he de poner a este tonto.)

—Don Pedro, negar quisiera
la causa porque me voy,
pero ya decirla es fuerza:
yo me voy porque me mata
de hambre aquí vuestra miseria;
porque vos sois un cuitado,
vuestra hermana es una suegra;
las crïadas unas tías,
los criados unas bestias;
y yo de aquesto enfadada,
en cas de una pastelera
a merendar garapiñas
voy.

DON PEDRO

(Aparte:

¿Qué palabras son éstas,
y qué estilo tan ajeno
del ingenio y la belleza
de Doña Leonor?)

—Señora,
mucho extraña mi fineza
oíros dar de mi familia
unas tan indignas quejas,
que si queréis deslucirme,
bien podéis de otra manera,
y no con tales palabras
que mal a vos misma os dejan.

CASTAÑO

Digo que me matan de hambre;
¿es aquesto lengua griega?

DON PEDRO

No es griega, Señora, pero
no entiendo en vos esa lengua.

CASTAÑO

Pues si no entendéis así,
entended de esta manera.

(Quiere irse.)

DON PEDRO

Tened, que no habéis de iros,
ni es bien que yo lo consienta,
porque a vuestro padre he chicho
que estáis aquí; y así es fuerza
en cualquiera tiempo darle
de vuestra persona cuenta.

Que cuando vos no queráis
casaros, haciendo entrega
de vos quedaré bien puesto,
viendo que la resistencia
de casarse, de mi parte
no está, sino de la vuestra.

CASTAÑO

Don Pedro, vos sois un necio,
y ésta es ya mucha licencia
de querer vos impedir
a una mujer de mis prendas
que salga a matar su hambre.

DON PEDRO

(Aparte:

¿Posible es, Cielos, que aquéstas
son palabras de Leonor?
¡Vive Dios, que pienso que ella
se finge necia por ver
si con esto me despecha
y me dejo de casar!
¡Cielos que así me aborrezca;
y que conociendo aquesto
esté mi pasión tan ciega
que no pueda reducirse!)

— Bella Leonor, ¿qué aprovecha
el fingiros necia, cuando
sé yo que sois tan discreta?
Pues antes, de enamorarme
sirve más la diligencia,
viendo el primor y cordura
de saber fingiros necia.

CASTAÑO

(Aparte:

¡Notable aprieto, por Dios!
Yo pienso que aquí me fuerza.

Mejor es mudar de estilo
para ver si así me deja.)

— Don Pedro, yo soy mujer
que sé bien dónde me aprieta
el zapato, y pues ya he visto
que dura vuestra fineza
a pesar de mis desaires,
yo quiero dar una vuelta
y mudarme al otro lado,
siendo aquesta noche mesma
vuestra esposa.

DON PEDRO

¿Qué decís,
Señora?

CASTAÑO

Que seré vuestra
como dos y dos son cuatro.

DON PEDRO

No lo digáis tan apriesa,
no me mate la alegría,
ya que no pudo la pena.

CASTAÑO

Pues no, Señor, no os muráis,
por amor de Dios, siquiera
hasta dejarme un muchacho
para que herede la hacienda.

DON PEDRO

¿Pues eso miráis, Señora?
¿No sabéis que es toda vuestra?

CASTAÑO

¡Válgame Dios, yo me entiendo;
bueno será tener prendas!

DON PEDRO

Esa será dicha mía;
mas, Señora, ¿habláis de veras
o me entretenéis la vida?

CASTAÑO

¿Pues soy yo farandulera?
Palabra os doy de casarme,
si ya no es que por vos queda.

DON PEDRO

¿Por mí? ¿Eso decís, Señora?

CASTAÑO

¿Qué apostamos que si llega
el caso, queda por vos?

DON PEDRO

No así agraviéis la fineza.

CASTAÑO

Pues dadme palabra aquí
de que, si os hacéis afuera,
no me habéis de hacer a mí
algún daño.

DON PEDRO

                ¿Que os lo ofrezca
qué importa, supuesto que
es imposible que pueda
desistirse mi cariño?
Mas permitid que merezca,

de que queréis ser mi esposa,
vuestra hermosa mano en prendas.

CASTAÑO

(Aparte:

Llegó el caso de Jacob.)

—Catadla aquí toda entera.

DON PEDRO

¿Pues con guante me la dais?

CASTAÑO

Sí, porque la tengo enferma.

DON PEDRO

¿Pues qué tenéis en las manos?

CASTAÑO

Hiciéronme mal en ellas
en una visita un día,
y ni han bastado recetas
de hieles, ni jaboncillos
para que a su albura vuelvan.

(Dentro, DON JUAN.)

DON JUAN

¡Muere a mis manos, traidor!

DON PEDRO

Oye, ¿qué voz es aquélla?

(Dentro, DON CARLOS.)

DON CARLOS

¡Tú morirás a las mías,
pues buscas tu muerte en ellas!

161

DON PEDRO

¡Vive Dios, que es en mi casa!

CASTAÑO

Ya suena la voz más cerca.

ESCENA VI

(Salen riñendo DON CARLOS y DON JUAN, y DOÑA ANA *deteniéndolos.)*

DOÑA ANA

¡Caballeros, detenéos!

(Aparte.)

¡Mas, mi hermano! ¡Yo estoy muerta!

CASTAÑO

¿Mas si por mí se acuchillan
los que mi beldad festejan?

DON PEDRO

¿En mi casa y a estas horas
con tan grande desvergüenza
acuchillarse dos hombres?
Mas yo vengaré esta ofensa
dándoles muerte, y más cuando
es Don Carlos quien pelea.

DOÑA ANA

(Aparte.)

¿Quién pensara ¡ay infelice!
que aquí mi hermano estuviera?

DON CARLOS

(Aparte.)

Don Pedro está aquí, y por él
a mí nada se me diera,
pero se arriesga Doña Ana
que es sólo por quien me pesa.

CASTAÑO

¡Aquí ha sido la de Orán!
Mas yo apagaré la vela;
quizá con eso tendré
lugar de tomar la puerta,
que es sólo lo que me importa.

(Apaga CASTAÑO *la vela y riñen todos.)*

DON PEDRO

*Aunque hayáis muerto la vela
por libraros de mis iras,
poco importa, que aunque sea
a oscuras, sabré mataros.*

DON CARLOS

(Aparte.)

Famosa ocasión es ésta
de que yo libre a Dona Ana,
pues por ampararme atenta
está arriesgada su vida.

(Sale DOÑA LEONOR *con manto.)*

DOÑA LEONOR

(Aparte.)

¡Ay Dios! Aquí dejé a Celia,
y ahora sólo escucho espadas
y voy pisando tinieblas.
¿Qué será? ¡Válgame Dios!

Pero lo que fuere sea,
pues a mí sólo me importa
ver si topo con la puerta.

(Topa a DON CARLOS.*)*

DON CARLOS

(Aparte:

Esta es sin duda Doña Ana.)
— Señora, venid apriesa
y os sacaré de este riesgo.

DOÑA LEONOR

(Aparte.)

¿Qué es esto? ¡Un hombre me lleva!
Mas como de aquí me saque,
con cualquiera voy contenta,
que si él me tiene por otra,
cuando en la calle me vea
podrá dejarme ir a mí,
y volver a socorrerla.

DOÑA ANA

(Aparte.)

No tengo cuidado yo
de que sepa la pendencia
mi hermano, y más cuando ha visto
que es Don Carlos quien pelea,
y diré que es por Leonor.
Solamente me atormenta
el que se arriesgue Don Carlos.
¡Oh, quién toparlo pudiera
para volverlo a esconder!

DON PEDRO

¡Quien mi honor agravia, muera!

CASTAÑO

¡Que haya yo perdido el tino
y no tope con la puerta!
 Mas aquí juzgo que está.
¡Jesús! ¿Qué es esto? Alacena
en que me he hecho los hocicos
y quebrado diez docenas
de vidrios y de redomas,
que envidiando mi belleza
me han pegado redomazo.

DOÑA ANA

Ruido he sentido en la puerta;
sin duda alguna se va
Don Juan, porque no lo vean,
y lo conozca mi hermano;
y ya dos sólo pelean.
¿Cuál de ellos será Don Carlos?

(*Llega* DOÑA ANA *a* DON JUAN.)

DON CARLOS

La puerta, sin duda, es ésta.
Vamos, Señora, de aquí.

(*Vanse* DON CARLOS *con* DOÑA LEONOR.)

DON PEDRO

¡Morirás a mi violencia!

DOÑA ANA

(*A parte:*

Mi hermano es aquél, y aquéste
sin duda es Carlos.)

                        —¡Apriesa,
Señor, yo os ocultaré!

DON JUAN

Ésta es Doña Ana, e intenta
ocultarme de su hermano;
preciso es obedecerla.

(Vase DOÑA ANA *con* DON JUAN.*)*

DON PEDRO

¿Dónde os ocultáis, traidores,
que mi espada no os encuentra?

— ¡Hola, traed una luz!

(Sale CELIA *con luz.)*

ESCENA VII

CELIA

Señor, ¿qué voces son éstas?

DON PEDRO

¡Qué ha de ser!

(Aparte:

¡Pero qué miro!
Hallando abierta la puerta,
se fueron; mas si Leonor
— que sin duda entró por ella
aquí Don Carlos — está
en casa ¿qué me da pena?
Mas, bien será averiguar
cómo entró.)

— Tú Leonor, entra
a recogerte, que voy
a que aquí tu padre venga,
porque quiero que esta noche
queden nuestras bodas hechas.

CASTAÑO

Tener hechas las narices
es lo que ahora quisiera.

(Vase CASTAÑO *y cierra* DON PEDRO *la puerta.)*

DON PEDRO

Encerrar quiero a Leonor,
por si acaso fue cautela
haberme favorecido.
Yo la encierro por de fuera,
porque si acaso lo finge
se haga la burla ella mesma.
Yo me voy a averiguar
quién fuese el que por mis puertas
le dio entrada a mi enemigo,
y por qué era la pendencia
con Carlos y el embozado;
y pues antes que los viera
los vio mi hermana y salió
con ellos, saber es fuerza
cuando a reñir empezaron,
dónde o cómo estaba ella.

(Vase DON PEDRO.*)*

CUADRO SEGUNDO

[*Frente a la casa de* DON PEDRO.]

ESCENA VIII

(Salen DON RODRIGO *y* HERNANDO.*)*

DON RODRIGO

Esto, Hernando, he sabido:
que Don Diego está herido,
y que lo hirió quien a Leonor llevaba
cuando en la calle estaba,

porque él la conoció y quitarla quiso,
con que le fue preciso
reñir; y la pendencia ya trabada,
el que a Leonor llevaba, una estocada
le dio, de que quedó casi difunto,
y luego al mismo punto
cargado hasta su casa le llevaron,
donde luego que entraron
en sí volivió Don Diego;
pero advirtiendo luego
en los que le llevaron apiadados,
conoció de Don Pedro ser criados;
porque sin duda, Hernando, fue el llevalle
por excusar el ruido de la calle.
Mira qué bien viene esto que ha pasado
con lo que esta mañana me ha afirmado
de que Leonor fue sólo a ver su hermana,
y que yo me detenga hasta mañana
para ver si Leonor casarse quiere;
de donde bien se infiere
que de no hacerlo trata,
y que con estas largas lo dilata;
mas yo vengo resuelto
— que a esto a su casa he vuelto —
a apretarle de suerte
que ha de casarse, o le he de dar la muerte.

HERNANDO

Harás muy bien, Señor, que la dolencia
de honor se ha de curar con diligencia,
porque el que lo dilata neciamente
viene a quedarse enfermo eternamente.

ESCENA IX

(Sale DON CARLOS *con* DOÑA LEONOR *tapada.)*

DON CARLOS

No tenéis ya que temer,
Doña Ana hermosa, el peligro.

DOÑA LEONOR

(Aparte.)

¡Cielos! ¿que me traiga Carlos
pensando ¡ah fiero enemigo!
que soy Doña Ana? ¿Qué más
claros busco los indicios
de que la quiere?

DON CARLOS

(Aparte:

                    ¡En qué empeño
me he puesto, Cielos divinos,
que por librar a Doña Ana
dejo a Leonor al peligro!
¿Adónde podré llevarla
para que pueda mi brío
volver luego por Leonor?
Pero hacia aquí un hombre miro.)

— ¿Quién va?

DON RODRIGO

¿Es Don Carlos?

DON CARLOS

Yo soy.

(Aparte:

¡Válgame Dios! Don Rodrigo
es. ¿A quién podré mejor
encomendar el asilo
y el amparo de Doña Ana?
Que con su edad y su juicio
la compondrá con su hermano

169

con decencia, y yo me quito
de aqueste embarazo y vuelvo
a ver si puedo atrevido
sacar mi dama.)

        — Señor
Don Rodrigo, en su conflicto
estoy, y vos podéis solo
sacarme de él.

DON RODRIGO

¿En qué os sirvo,
Don Carlos?

DON CARLOS

        Aquesta dama
que traigo, Señor, conmigo,
es la hermana de Don Pedro,
y en un lance fue preciso
el salirse de su casa,
por correr su honor peligro.
Yo, ya veis que no es decente
tenerla, y así os suplico
la tengáis en vuestra casa,
mientras yo a otro empeño asisto.

DON RODRIGO

Don Carlos, yo la tendré;
claro está que no es bien visto
tenerla vos, y a su hermano
hablaré si sois servido.

DON CARLOS

Haréisme mucho favor;
y así, yo me voy.

        (Vase.)

ESCENA X

DOÑA LEONOR

(Aparte.)

¿Qué miro?
¡A mi padre me ha entregado!

DON RODRIGO

Hernando, yo he discurrido
(pues voy a ver a Don Pedro,
y Carlos hizo lo mismo
que él sacándole a su hermana,
que ya por otros indicios
sabía yo que la amaba)
valerme de este motivo
tratando de que la case,
porque ya como de hijo
debo mirar por su honor;
y él quizá más reducido,
viendo a peligro su honor,
querrá remediar el mío.

HERNANDO

Bien has dicho, y me parece
buen modo de constreñirlo
el no entragarle a su hermana
hasta que él haya cumplido
con lo que te prometió.

DON RODRIGO

Pues yo entro. —Venid conmigo,
Señora, y nada temáis
de riesgo, que yo me obligo
a sacaros bien de todo.

171

CUADRO TERCERO

[*En casa de* DON PEDRO]

ESCENA XI

DOÑA LEONOR

(Aparte.)

A casa de mi enemigo
me vuelve a meter mi padre;
y ya es preciso seguirlo,
pues descubrirme no puedo.

DON RODRIGO

Pero allí a Don Pedro miro.

— Vos, Señora, con Hernando
os quedad en este sitio,
mientras hablo a vuestro hermano.

DOÑA LEONOR

(Aparte.)

¡Cielos, vuestro influjo impío
mudad, o dadme la muerte,
pues me será más benigno
un fin breve, aunque es atroz,
que un prolongado martirio!

DON RODRIGO

Pues yo me quiero llegar.

ESCENA XII

(Sale DON PEDRO.)

DON PEDRO

(Aparte:

¡Que saber no haya podido
mi enojo, quién en mi casa
le dio entrada a mi enemigo,
ni haya encontrado a mi hermana!. . .
Mas buscarla determino
hacia el jardín, que quizá,
temerosa del rüido,
se vino hacia aquesta cuadra.
Yo voy; pero Don Rodrigo
está aquí. A buen tiempo viene,
pues que ya Leonor me ha dicho
que gusta de ser mi esposa.)

—Seais, Señor, bien venido,
que a no haber venido vos,
en aqueste instante mismo
había yo de buscaros.

DON RODRIGO

La diligencia os estimo;
sentémonos, que tenemos
mucho que hablar.

DON PEDRO

(Aparte.)

                    Ya colijo
que a lo que podrá venir
resultará en gusto mío.

DON RODRIGO

Bien habréis conjeturado
que lo que puede, Don Pedro,
a vuestra casa traerme
es el honor, pues le tengo
fiado a vuestra palabra;
que, aunque sois tan caballero,
mientras no os casáis está
a peligro siempre expuesto;
y bien veis que no es alhaja
que puede en un noble pecho
permitir la contingencia;
porque es un cristal tan terso,
que, si no le quiebra el golpe,
le empaña sólo el aliento.
Esto habréis pensado vos,
y haréis bien en pensar esto,
pues también esto me trae.
Mas no es esto a lo que vengo
principalmente; porque
quiero con vos tan atento
proceder, que conozcáis
que teniendo de por medio
el cuidado de mi hija
y de mi honor el empeño,
con tanta cortesanía
procedo con vos, que puedo
hacer mi honor accesorio
por poner primero el vuestro.
Ved si puedo hacer por vos
más; aunque también concedo
que ésta es conveniencia mía:
que habiendo de ser mi yerno,
el quereros ver honrado
resultará en mi provecho.
Ved vos cuán celoso soy
de mi honor, y con qué extremo
sabré celar mi opinión
cuando así la vuestra celo.

Supuesto esto, ya sabéis
vos que Don Carlos de Olmedo,
demás del lustre heredado
de su noble nacimiento. . .

DON PEDRO

(Aparte.)

A Don Carlos me ha nombrado.
¿Dónde irá a parar aquesto,
y el no hablar en que me case?
Sin duda, sabe el suceso
de que la sacó Don Carlos.
¡Hoy la vida y honra pierdo!

DON RODRIGO

El color habéis perdido,
y no me admiro: que oyendo
cosas tocantes a honor,
no fuerais noble, ni cuerdo,
ni honrado si no mostrarais
ese noble sentimiento.
Mas pues de lances de amor
tenéis en vos el ejemplo,
y que vuestra propia culpa
honesta el delito ajeno,
no tenéis de qué admiraros
de lo mismo que habéis hecho.

ESCENA XIII

(Sale DOÑA ANA *al paño.)*

DOÑA ANA

Don Rodrigo con mi hermano
está. Desde aquí pretendo
escuchar a lo que vino;
que como a Don Carlos tengo
oculto, y lo vio mi hermano,
todo lo dudo y lo temo.

DON RODRIGO

Digo, pues, que aunque ya vos
enterado estaréis de esto,
Don Carlos a vuestra hermana
hizo lícitos festejos;
correspondióle Doña Ana. . .
No fue mucho, pues lo mesmo
sucedió a Leonor con vos.

DON PEDRO

¿Qué es esto? ¡Válgame el Cielo!
¿Don Carlos quiere a mi hermana?

DOÑA ANA

¿Cómo llegar a saberlo
ha podido Don Rodrigo?

DON RODRIGO

Digo, por no deteneros
con lo mismo que sabéis,
que viéndose en el aprieto
de haberlo ya visto vos
y de estar con él riñendo,
la sacó de vuestra casa.

DON PEDRO

¿Qué es lo que decís?

DON RODRIGO

              Lo mesmo
que vos sabéis y lo propio
que hicisteis vos. Pues ¿es bueno
que me hicierais vos a mí
la misma ofensa, y que cuerdo
venga a tratarlo, y que vos,
sin ver que permite el Cielo
que veamos por nosotros
la ofensa que a otros hacemos,

os mostréis tan alterado?
Tomad, hijo, mi consejo:
que en las dolencias de honor
no todas veces son buenos,
si bastan sólo süaves,
los medicamentos recios,
que antes suelen hacer daño;
pues cuando está malo un miembro,
el experto cirujano
no luego le aplica el hierro
y corta lo dolorido,
sino que aplica primero
los remedios lenitivos;
que acudir a los cauterios,
es cuando se reconoce
que ya no hay otro remedio.

Hagamos lo mismo acá:
Don Carlos me ha hablado en ello,
Doña Ana se fue con el
y yo en mi poder la tengo;
ellos lo han de hacer sin vos. . .
¿Pues no es mejor, si han de hacerlo,
que sea con vuestro gusto,
haciendo cuerdo y atento,
voluntario lo preciso?
Que es industria del ingenio
vestir la necesidad
de los visos del afecto.
Aquéste es mi parecer;
ahora consultad cuerdo
a vuestro honor, y veréis
si os está bien el hacerlo.

Y en cuanto a lo que a mí toca,
sabed que vengo resuelto
a que os caséis esta noche;
pues no hay por qué deteneros,
cuando vengo de saber
que a mi sobrino Don Digo
dejasteis herido anoche,

porque llegó a conoceros
y a Leonor quiso quitaros.
Ved vos cuán mal viene aquesto
con que vos no la sacasteis;
y en suma, éste es largo cuento.
Pues sólo con que os caséis,
queda todo satisfecho.

DOÑA ANA

Temblando estoy qué responde
mi hermano; mas yo no encuentro
qué razón pueda mover
a fingir estos enredos
a Don Rodrigo.

DON PEDRO

    Señor:
digo, cuanto a lo primero,
que el decir que no saqué
a Leonor, fue fingimiento
que me debió decoroso
mi honor y vuestro respeto;
y pues sólo con casarme
decís que quedo bien puesto,
a la beldad de Leonor
oculta aquel aposento
y ahora en vuestra presencia
le daré de esposo y dueño
la mano; pero sabed
que me habéis de dar primero
a Doña Ana, para que,
siguiendo vuestro consejo,
la despose con Don Carlos
al instante.

(Aparte:

    Pues con esto,
seguro de este enemigo
de todas maneras quedo.)

DON RODRIGO

¡Oh qué bien que se conoce
vuestra nobleza y talento!
Voy a que entre vuestra hermana
y os doy las gracias por ello.

ESCENA XIV

(*Sale* DOÑA ANA.)

DOÑA ANA

No hay para qué, Don Rodrigo,
pues para dar las que os debo
estoy yo muy prevenida.

— Y a ti, hermano, aunque merezco
tu indignación, te suplico
que examines por tu pecho
las violencias del amor,
y perdonarás con esto
mis yerros, si es que lo son,
siendo tan dorados yerros.

DON PEDRO

Alza del suelo, Doña Ana;
que hacerse tu casamiento
con más decencia pudiera,
y no poniendo unos medios
tan indecentes.

DON RODRIGO

Dejad
aquesto, que ya no es tiempo
de reprensión; enviad
un criado de los vuestros
que a buscar vaya a Don Carlos.

DOÑA ANA

No hay que envïarlo, supuesto
que, como a mi esposo, oculto
dentro en mi cuarto le tengo.

DON PEDRO

Pues sácale, luego al punto.

DOÑA ANA

¡Con qué gusto te obedezco;
que al fin mi amante porfía
ha logrado sus deseos!

(Vase.)

DON PEDRO

¡Celia!

(Sale CELIA.*)*

CELIA

¿Qué me mandas?

DON PEDRO

Toma
la llave de ese aposento
y avisa a Leonor que salga.
¡Oh amor, que al fin de mi anhelo
has dejado que se logren
mis amorosos intentos!

(Recibe CELIA *la llave y vase.)*

DOÑA LEONOR

(Aparte.)

Pues me tienen por Doña Ana,
entrarme quiero allá dentro
y librarme de mi padre,

que es el más próximo riesgo;
que después, para librarme
de la instancia de Don Pedro,
no faltarán otros modos.
Mas subir a un hombre veo
la escalera. ¿Quién será?

ESCENA XV

(Sale DON CARLOS.)

DON CARLOS

(Aparte.)

A todo trance resuelto
vengo a sacar a Leonor
de este indigno cautiverio;
que supuesto que Doña Ana
está ya libre de riesgo,
no hay por qué esconder la cara
mi valor; y ¡vive el Cielo,
que la tengo de llevar,
o he de salir de aquí muerto!

(Pasa DON CARLOS *por junto a* DOÑA LEONOR.)

DOÑA LEONOR

(Aparte.)

Carlos es, ¡válgame Dios!
y de cólera tan ciego
va, que no reparó en mí.
Pues ¿a qué vendrá, supuesto
que me lleva a mí, pensando
que era yo Doña Ana? ¡Ah, Cielos,
que me hayáis puesto en estado
que estos ultrajes consiento!

Mas ¿si acaso conoció
que dejaba en el empeño
a su dama, y a librarla
viene ahora? Yo me acerco
para escuchar lo que dice.

DON CARLOS

Don Pedro, cuando yo entro
en casa de mi enemigo,
mal puedo usar de lo atento.
Vos me tenéis. . . Mas, ¿qué miro?
¿Don Rodrigo, aquí?

DON RODRIGO

         Teneos,
Don Carlos, y sosegaos,
porque ya todo el empeño
está ajustado; ya viene
en vuestro gusto Don Pedro,
y pues a él se lo debéis,
dadle el agradecimiento;
que yo el parabién os doy
de veros felice dueño
de la beldad que adoráis,
que gocéis siglos eternos.

DON CARLOS

(Aparte:

¿Qué es esto? Sin duda ya
se sabe todo el suceso,
porque Castaño el papel
debió de dar ya, y sabiendo
Don Rodrigo que fui yo
quien la sacó, quiere cuerdo
portarse y darme a Leonor;
y sin duda ya Don Pedro
viendo tanto desengaño
se desiste del empeño.)

—Señor, palabras me faltan
para poder responderos;
mes válgame lo dichoso
para disculpar lo necio,
que en tan no esperada dicha
como la que yo merezco,
si no me volviera loco
estuviera poco cuerdo.

DON RODRIGO

Mirad si os lo dije yo:
quiérela con grande extremo.

DOÑA LEONOR

(Aparte.)

¿Qué es esto, Cielos, que escucho?
¿Qué parabienes son éstos
ni qué dichas de Don Carlos?

DON PEDRO

Aunque debierais atento
haberos de mí valido,
supuesto que gusta de ello
Don Rodrigo, cuyas canas
como de padre venero,
yo me tengo por dichoso
en que tan gran caballero
se sirva de honrar mi casa.

DOÑA LEONOR

(Aparte.)

Ya no tengo sufrimiento.
¡No ha de casarse el traidor!

(Llega DOÑA LEONOR *con manto.)*

DON RODRIGO

Señora, a muy lindo tiempo
venís; mas ¿por qué os habéis
otra vez el manto puesto?
Aquí está ya vuestro esposo.

 — Don Carlos, los cumplimientos
basten ya, dadle la mano
a Doña Ana.

DON CARLOS

¿A quién? ¿Qué es esto?

DON RODRIGO

A Doña Ana, vuestra esposa.
¿De qué os turbáis?

DON CARLOS

¡Vive el Cielo,
que éste es engaño y traición!
¿Yo a Doña Ana?

DOÑA LEONOR

(Aparte.)

¡Albricias, Cielos,
que ya desprecia a Doña Ana!

DON PEDRO

Don Rodrigo, ¿qué es aquesto?
¿Vos, de parte de Don Carlos,
no vinisteis al concierto
de mi hermana?

DON RODRIGO

Claro está;
y fue porque Carlos mesmo
me entregó a mí a vuestra hermana
que la llevaba, diciendo
que la sacaba porque
corría su vida riesgo.

¿Señora, no fue esto así?

DOÑA LEONOR

Sí, Señor, y yo confieso
que soy esposa de Carlos,
como vos vengáis en ello.

DON CARLOS

Muy mal, Señora Doña Ana,
habéis hecho en exponeros
a tan público desaire
como por fuerza he de haceros;
pero, pues vos me obligáis
a que os hable poco atento,
quien me busca exasperado
me quiere sufrir grosero;
si mejor a vos que a alguno
os consta que yo no puedo
dejar de ser de Leonor.

DON RODRIGO

¿De Leonor? ¿Qué? ¿Cómo es eso?
¿Qué Leonor?

DON CARLOS

De vuestra hija.

DON RODRIGO

¿De mi hija? ¡Bien, por cierto,
cuando es de Don Pedro esposa!

DON CARLOS

¡Antes que logre el intento,
le quitaré yo la vida!

DON PEDRO

¡Ya es mucho mi sufrimiento,
pues en mi presencia os sufro
que atrevido y desatento
a mi hermana desairéis
y pretendáis a quien quiero!

ESCENA XVI

(Empuñan las espadas; y salen DOÑA ANA *y* DON JUAN *de la mano, y por la otra puerta* CELIA, *y* CASTAÑO *de dama.)*

DOÑA ANA

A tus pies, mi esposo y yo,
hermano. . .

(Aparte:

¿Pero qué veo?
A Don Juan es a quien traigo,
que en rostro el ferreruelo
no le había conocido.)

DON PEDRO

Doña Ana, ¿pues cómo es esto?

CELIA

Señor, aquí está Leonor.

DON PEDRO

!Oh hermoso, divino sueño!

CASTAÑO

(Aparte.)

Allá veréis la belleza;
mas yo no puedo de miedo
moverme. Pero mi amo
está aquí; ya nada temo,
pues él me defenderá.

DON RODRIGO

Yo dudo lo que estoy viendo.

—Don Carlos, ¿pues no es Doña Ana
esta dama que vos mesmo
me entregasteis y con quien
os casáis?

DON CARLOS

       Es manifiesto
engaño, que yo a Leonor
solamente es a quien quiero.

DOÑA ANA

(Aparte:

Acabe este desengaño
con mi pertinaz intento;
y pues el ser de Don Juan
es ya preciso, yo esfuerzo
cuanto puedo, que lo estimo
que en efecto es ya mi dueño.)

—Don Rodrigo, ¿qué decís?
¿Qué Carlos? Que no lo entiendo;
y sólo sé que Don Juan
desde Madrid, en mi pecho
tuvo el dominio absoluto
de todos mis pensamientos.

187

DON JUAN

Don Pedro, yo a vuestros pies
estoy.

DON PEDRO

Yo soy el que debo
alegrarme, pues con vos
junto a la amistad al deudo;
y así porque nuestras bodas
se hagan en un mismo tiempo,
dadle la mano a Doña Ana,
que yo a Leonor se la ofrezco.

(Llégase a CASTAÑO.

DON CARLOS

¡Antes os daré mil muertes!

CASTAÑO

(Aparte.)

Miren aquí si soy bello,
pues por mí quieren matarse

DON PEDRO

Dadme, soberano objeto
de mi rendido albedrío,
la mano.

CASTAÑO

Sí, que os la tengo
para dárosla más blanda,
un año en guantes de perro.

DON CARLOS

¡Eso no conseguirás!

(Descúbrese DOÑA LEONOR.)

DOÑA LEONOR

Tente, Carlos, que yo quedo
de más, y seré tu esposa:
que aunque me hiciste desprecios,
soy yo de tal condición
que más te estimo por ellos.

DON CARLOS

Mi bien, Leonor, ¿qué tú eras?

DON PEDRO

¿Qué es esto? ¿Por dicha sueño?
¿Leonor está aquí y allí?

CASTAÑO

No, sino que viene a cuento
lo de: No sois vos, Leonor. . .

DON PEDRO

¿Pues quién eres tú, portento,
que por Leonor te he tenido?

(Descúbrese CASTAÑO.)

CASTAÑO

No soy sino el perro muerto
de que se hicieron los guantes.

CELIA

La risa tener no puedo
del embuste de Castaño.

DON PEDRO

¡Mataréte, vive el Cielo!

CASTAÑO

¿Por qué? Si cuando te di
palabra de casamiento,
que ahora estoy llano a cumplirte,
quedamos en un concierto
de que si por ti quedaba
no me harías mal; y supuesto
que ahora queda por ti
y que yo estoy llano a hacerlo,
no faltes tú, pues que yo
no falto a lo que prometo.

DON CARLOS

¿Cómo estás así, Castaño,
y en tal traje?

CASTAÑO

   Ese es el cuento:
que por llevar el papel
que aún aquí guardado tengo,
en que a Don Rodrigo dabas
cuenta de todo el enredo
y de que a Leonor llevaste,
para llevarlo sin riesgo
de encontrar a la Justicia
me puse estos faldamentos;
y Don Pedro enamorado
de mi talle y de mi aseo,
de mi gracia y de mi garbo
me encerró en este aposento.

DON CARLOS

Mirad, Señor Don Rodrigo
si es verdad que soy el dueño
de la beldad de Leonor,
y si ser su esposo debo.

DON RODRIGO

Como se case Leonor
y quede mi honor sin riesgo,
lo demás importa nada;
y así, Don Carlos, me alegro
de haber ganado tal hijo.

DON PEDRO

(Aparte:

Tan corrido ¡vive el Cielo!
de lo que me ha sucedido
estoy, que ni a hablar acierto;
mas disimular importa,
que ya no tiene remedio
el caso) — Yo doy por bien
la burla que se me ha hecho,
porque se case mi hermana
con Don Juan.

DOÑA ANA

La mano ofrezco
y también con ella el alma.

DON JUAN

Y yo, Señora, la acepto,
porque vivo muy seguro
de pagaros con lo mesmo.

DON CARLOS

Tú, Leonor mía, la mano
me da.

DOÑA LEONOR

En mí, Carlos, no es nuevo,
porque siempre he sido tuya.

CASTAÑO

Díme, Celia, algún requiebro,
y mira si a mano tienes
una mano.

CELIA

No la tengo,
que la dejé en la cocina;
pero ¿bastaráte un dedo?

CASTAÑO

Daca, que es el dedo malo,
pues es él con quien encuentro.

—Y aquí, altísimos Señores,
y aquí, Senado discreto,
Los Empeños de una Casa
dan fin. Perdonad sus yerros.

SARAO DE CUATRO NACIONES

Que son

Españoles, Negros, Italianos y Mejicanos

(Salen los ESPAÑOLES.)

CORO 1

A la guerra más feliz
que el Amor ordena,
la caja resuena,
retumba el clarín,

CORO 2

y el pífano suena,
que convoca a la lid;
y al hacer
la seña a acometer,

CORO 3

dicen: ¡Guerra, guerra, porque ya el Amor
hoy sale al campo armado de furor,
porque espera salir vencedor!

CORO 1

Su opuesta es la Obligación
que el lauro pretende,
porque que es, entiende,
quien tiene razón,

CORO 2

y así, la defiende
con destreza y corazón;
y al salir
y hacer seña de embestir,

CORO 3

dicen: ¡Toca, toca, y sepan que voy
a coronarme de laureles hoy,
porque digna de ellos solamente soy!

CORO 1

De María la beldad
el Amor prefiere;
y el Respeto quiere,
con más seriedad,

CORO 2

que más se pondere
culto a su deidad.
Pero Amor,
como es deidad superior,

CORO 3

es quien vence, que es fácil vencer
aquel que vence sólo con querer,
pues sobre razón le sobra el poder.

¡Victoria, victoria, victoria,
y lleve triunfante la palma y la gloria
el que ha sabido salir vencedor!
Y así, ¡viva, viva, viva el Amor!

CORO I

Hoy la Obligación
y el Amor se ven
disputar valientes
la lid más cortés.

CORO 2

Y aunque están unidos,
se llegan a ver
tal vez hermanados,
y opuestos tal vez.

CORO I

De todos los triunfos
es éste al revés;
pues aquí, el rendido
el vencedor es.

CORO 2

La cuestión es: cuál
podrá merecer
del Excelso Cerda
los invictos pies;

CORO 1

y de su divina
consorte, de quien
aromas mendiga
el florido mes,

CORO 2

pues de su beldad
pueden aprender
candor el jazmín
púrpura el clavel:

CORO 1

a quien humilladas
llegan a ceder
Venus la manzana
Palas el laurel;

CORO 2

y al tierno renuevo,
el Bello José,
que siendo tan grande,
espera crecer.

(Salen los NEGROS.)

CORO 1

Hoy, que los rayos lucientes
de uno y otro luminar,
a corta Esfera conmutan
la Eclíptica celestial;
hoy, que Venus con Adonis,
ésta bella, aquél galán,
a breve plantel reducen
de Chipre la amenidad;

CORO 2

hoy, que Júpiter y Juno,
depuesta la majestad,
a estrecha morada truecan
el alcázar de cristal;
hoy que Vertumno y Pomona
dejan ya de cultivar
los jardines que sus pies
bastan a fertilizar;

CORO 1

hoy, en fin, que el alto Cerda
y su esposa sin igual
(pues solamente sus nombres
los pudieron explicar,

porque en tanta fabulosa
deidad de la antigüedad,
allá se expresa entre sombras
lo que entre luces acá),

CORO 2

los amantes esposos,
que en tálamo conyugal
hacen la igualdad unión
y la unión identidad
(tanto, que a faltar María,
célibe fuera Tomás,
y a faltar Tomás, María
igual no pudiera hallar),

CORO 1

despuesto el solio glorioso,
de su grandeza capaz,
luces que envidia una Esfera,
a un estrecho albergue dan,
¡salga la voz; no el silencio
que ocupe todo el lugar:
conceda a la voz lo menos,
pues se queda con lo más!

CORO 2

¡Haya un índice en el labio
de lo que en el pecho está,
que indique, con lo que explique,
lo que no puede explicar!
Y aunque la gratitud sea
imposible de mostrar,
¡haya siquiera quien diga
que le queda qué callar!

(Salen los ITALIANOS.*)*

CORO 1

En el día gozoso y festivo
que humana se muestra la hermosa deidad
de María, y el Cerda glorioso,
que triunfe feliz, que viva inmortal;

hoy, que hermosos Cupidos sus soles,
del bello, celeste, lucido carcaj,
flechan veneraciones, y luego
las flechas que tiran, vuelven a cobrar;

hoy, que enjambre melifuo de Amores
de su primavera festeja el rosal,
y aunque en torno susurra a sus flores,
se atreve a querer, pero no a llegar

en el día que sus plantas bellas
dichosa esta casa merece besar,
y en las breves estampas que sella,
vincula la dicha a su posteridad;

en el día que el tierno renuevo
de ascendencia clara, de estirpe real,
nuevo Sol en los brazos del Alba,
de las aves deja su luz saludar;

en el día que sus Damas bellas,
cándidas nereidas del sagrado mar,
nueva Venus cada una se ostenta,
mejor Tethis se ve cada cual,

¡con humildes afectos rendidos,
venid amorosos a sacrificar
víctimas a su culto, en que sea
el alma la ofrenda, y el pecho el altar!

Y pues el que merece sus aras
excede glorioso la capacidad,
¡sude el pecho en afectos sabeos,
arda el alma en aroma mental!

Y pues falta la sangre y el fuego,
¡por uno y por otro sacrificio igual,
el deseo encendido suponga,
la víctima supla de la voluntad!

Y a sus plantas rendidos, pidamos,
con votos postrados de nuestra humildad,
¡que se admita por feudo el deseo,
que supla las faltas de la cortedad!

(*Salen los* MEJICANOS.)

CORO 2

¡Venid, Mejicanos;
alegres venid,
a ver en un Sol
mil Soles lucir!

Si América, un tiempo
bárbara y gentil,
su deidad al Sol
quiso atribuír,

a un Sol animado
venid a aplaudir,
que ilumina hermoso
su ardiente cenit;

Sol que entre arreboles
de nieve y carmín,
dos lucientes mueve
globos de zafir;

Sol que desde el uno
al otro confín,
inunda la Esfera
con rayos de Ofir;

la Excelsa María,
de quien aprendiz
el cielo es de luces,
de flores Abril;

en cuyas mejillas
se llegan a unir
cándido el clavel,
rojo el carmesí.

Y a su invicto esposo,
que supo feliz
tanto merecer
como conseguir.

Y al clavel nevado,
purpúreo jazmín,
fruto de una y otra
generosa vid:

José, que su Patria
llegó a producir
en él más tesoros
que en su Potosí.

¡A estas tres deidades,
alegres rendid
de América ufana
la altiva cerviz!

(Júntanse las NACIONES, *y tañen la "Reina" y cantan.)*

CORO 3

La Obligación y el Amor,
en felice competencia,
si como amigos se ayudan,
como contrarios pelean.

Cada cual, llevar el lauro
de los aplausos intenta,
en el obsequio debido
a los pies del alto Cerda.

La Obligación, por precisa,
dice que no es bien parezca
que se ejecutan de gracia
lo que tiene por deuda.

El Amor, más cortesano,
dice que, cuando así sea,
puede él hacer voluntario
lo que la Obligación fuerza.

Replica la Obligación
que es menester que se entienda
que se paga por tributo
y no se da por ofrenda.

Mejor lógico el Amor,
dice que, en una acción mesma,
hace dádiva la paga
el afecto de la entrega.

Vence el Amor, y vencida
la Obligación se confiesa
(que rendirse de un cariño,
es muy airosa bajeza),

bien que, felizmente unidos,
con igual correspondencia,
pagan, como que no dan;
dan, como si no debieran.

(Tocan los instrumentos el "Turdión" y danzan.)

CORO 4

Al invencible Cerda esclarecido,
a cuyo sacro culto reverente
rinde Amor las saetas de su aljaba,
el rayo Jove, y Marte los laureles;

a la Venus, a quien el Mar erige
en templos de cristal tronos de nieve,
vagos altares le dedica el Aire
y aras le da la Tierra consistentes;

a la deidad divina Mantüana,
de cuyo templo por despojo penden
de Venus las manzanas y las conchas,
de Diana los arcos y las pieles;

y al José generoso, que de troncos
reales, siempre ramo floreciente,
es engarce glorioso que vincula
los triunfos de Laguna y de Paredes

¡venid a dedicar, en sacrificios
de encendidos afectos obedientes,
la víctima debida a sus altares,
la ofrenda que a su culto se le debe!

Y en la aceptación suplan sus aras,
donde la ejecución llegar no puede,
las mentales ofrendas del deseo
que ofrece todo aquello que no ofrece:

pues a lo inmaterial de las deidades,
se tiene por ofrenda más solemene
que la caliente sangre de la fiera,
la encendida intención del oferente.

Y escuchen los perdones que pedimos
(pues es su ceño más propicio siempre
a las indignidades humilladas,
que no a las confiadas altiveces),

porque el felice dueño de esta casa,
el favor soberano que hoy adquiere,
¡en vividores mármoles lo esculpa;
en Estrellas, por cálculos, lo cuente!

(Tocan los instrumentos la "Jácara" y la danzan.)

CORO 3

Ya que las demostraciones
de nuestro agradecimiento,
cuanto han querido ser más,
tanto se han quedado en menos;

ya que cuando nuestro amor,
soberano Cerda excelso,
intentó salir en voces
se quedó sólo en los ecos;

ya que, divina María,
al aplaudir vuestro Cielo,
porque no bastó la voz,
se atendió sólo al silencio;

ya que, José generoso,
a vuestro Oriente primero,
como al Sol, hicieron salva
las voces de nuestro afecto;

ya que, bellísimas Damas,
a vuestro decoro atento,
sólo se atrevió el Amor
con el traje del Respeto;

y ya que para estimar,
Señor, favor tan inmenso,
la obligación tiene por
estrecho plazo lo eterno,

vuestra benignidad supla
la cortedad del festejo:
pues su pequeñez disculpa
la improporción del objeto,

y en el ser vuestro también
asegura los aciertos,
pues nunca podrá ser corto,
si se mira como vuestro.

BIBLIOTECA DE ÉTICA,
FILOSOFÍA
DEL DERECHO Y POLÍTICA

Dirigida por:

Ernesto Garzón Valdés (Maguncia, Alemania) y Rodolfo Vázquez (ITAM, México)

Esta obra se imprimió bajo el cuidado de Ediciones Coyoacán, S. A. de C. V.,
Hidalgo 47-2, Coyoacán, en abril de 1999.
El tiraje fue de 1000 ejemplares más sobrantes para reposición.